【超実用】好感度UPの

# 言い方・伝え方

ホンネをやわらげる言い換え

コミュニケーションマスター
石原壮一郎

ONE PUBLISHING

# あなたの使う言葉が「あなた」です

## 言い方が上手な人は、いい方です。

いや、ダジャレが言いたいわけではありません。言葉は人を表します。頼みごとひとつする場合でも、「これ、やっとけ」と言うのと「忙しいところ悪いけど、これ、お願いしていいかな」と言うのとでは、受け取る側の印象は大違い。

私たちは日々、周囲にいるいろんな立場の相手に、いろんな言葉を使って、意志や情報や気持ちを伝えています。対面だけではありません。**メールやLINEの文章を通じて伝える比重も増えています。SNSなどで、知らない相手に何かを伝えることもあります。**

自分自身もまた、いろんな相手からいろんな方法を通じていろんな言葉で、意志や情報や気持ちを受け取っています。人と人とのつながりは、言葉によって作られ、言葉によって左右されると言っていいでしょう。

表情や態度や見た目の雰囲気といった別の要素も多少はありますが、それらは結局、言葉を補完するものでしかありません。言葉に比べたら、パワーも表現力も極めて貧弱です。しかも昨今は**マスク姿が当たり前になり、言葉の重要性はさらに増しました。**

**人間関係がうまく作れない**

**まわりに誤解されやすい**

**なぜか相手を怒らせてしまう**

**がんばっても評価されない**

**どんどん友人が減っていく**

どれかひとつでも思い当たるとしたら、その原因はほぼ間違いなく、あなたの「言葉の使い方」にあります。言い方や伝え方を少し変えるだけで、あなたと周囲の関係はたちまちいい方向に変わるはず。さらに、**相手が感心する「大人のフレーズ」を使いこなすことができたら**、あなたに対する印象や評価は劇的に変わるでしょう。

「ちゃんとした人間関係」を築くための唯一の方法は、「ちゃんとした言葉」を使うことです。「ちゃんとした人」に見られる唯一の方法も、「ちゃんとした言葉」を使うことです。あなたの使う言葉こそが、周囲にとっての「あなた」にほかなりません。

この本では、**「頼む」「断る」「謝る」「ホメる」「怒る」「承諾」「同意」「反論」「誘い」「感謝」**の10の章に分けて、オススメのフレーズを紹介しています。使えば使うほど、人間関係が円滑になり、あなた自身の株も上がること請け合い。

それぞれの章や項目には、メールやLINEなどのSNSでコミュニケーションを取る場面で使いたいフレーズも、ふんだんに盛り込みました。文字だけでのやり取りは、対面以上に繊細な気づかいや用心深さが必要です。また、マスク越しの会話やリモート会議など、近頃気になるシチュエーションもしっかり網羅しました。

どの章も、見開きごとに対象や場面を分けています。まずは各シチュエーションの右上の3つのポイントに着目。さらに最後にチェックし直すことで、個別のフレーズ活用の"基礎力"が鍛えられるでしょう。

本書ならではの特徴であり最大のミソは、使いこなしたいフレーズに加えて、**裏側に隠された「ホンネ」を並べているところ。**気をつけてはいても、うっかり「ホンネ」に近い言葉を口にして後悔したり、トラブルに発展したりという悲劇はあとを絶ちません。

使いたいフレーズとホンネとを見比べることで、相手を不愉快にさせずに真意をしっかり伝えるコツや、言葉の選び方の基本を身に付けることができます。「ああ、実際にこう言えたらなあ」と想像して、こっそり留飲を下げていただくのも一興かも。

まずは、適当なページを開いてみてください。ひとつでも、「なるほど、今度これ使ってみよう」と思えるフレーズがあったら、この本はあなたにとっておおいに役に立つ一冊になるはず。

言葉が変われば人間関係が変わり、まわりの評価も視線も自分自身の意識も変わり、ひいては毎日が変わり未来が変わります。けっして大げさではなく、人生を変える一冊になる可能性もなきにしもあらず。さあ、新しい人生への第一歩を踏み出しましょう。

【超実用】好感度UPの 言い方・伝え方 《もくじ》

## PART・7 距離が縮まる 同意



## PART・8 冷静に伝える 反論



## PART・9 ＯＫにつながる 誘い



## PART・10 心に刻まれる 感謝

PART・1

# ウザがられない 頼み方

どんな頼みごとにせよ、誰に頼むにせよ、
頼まれた側にとってはそれなりに負担です。
相手が気持ちよくOKしてくれて、
恨みや反発や被害者意識を抱かれない――。
そんな華麗な頼み方を追求しましょう。

# 部下や後輩に頼む

## 「忙しいところ悪いけど」

「忙しいのはお互いさまだから、
悪いとは思ってないけど」

【解説】仕事は「やるのが当然」が前提だからこそ、こういうクッション言葉を付けて相手への気づかいを表現しておくのが大人のマナー。そして、それは仕事を円滑に進める効果的なテクニックでもある。

【類語】「いつも頼りにしちゃって申し訳ないけど」「たいへんな状況なのはわかってるんだけど」「たびたびごめん」

## 「この埋め合わせは必ずするから」

「埋め合わせ方はあとで考えるから、
とにかく力を貸して」

【解説】大量の仕事を抱えてテンパっている状況で、後輩に仕事を手伝ってもらいたいときに。相手にとって「本来の仕事」以外のことを頼むときは、なんらかの形で借りを返すのが大人の暗黙の掟である。

【注意】こう言って頼んだときは、相手の仕事を手伝うなり食事をおごるなり、きちんと「埋め合わせ」をしないと一気に株を下げる。

## 「この仕事はキミにとって、いい経験になると思うよ」

「たまには難しい仕事に挑戦して、少しは成長してよ」

【解説】「コイツには、ちょっと難しいかな」と思える仕事を部下に頼むときに。いっこうにヤル気を見せないタイプに使ってもよし、ヤル気だけが先行しているタイプに使ってもよし。

【注意】どんなふうに「いい経験」になるのか、面倒でも多少の説明は必要である。「何事も経験だ」的に聞こえたら効果はない。

ポイント3
★クッション言葉で気づかいを示しておく
★口先だけの「埋め合わせ」は株を下げる
★おだてていい気持ちにさせることも大切

## 「こういうことは若手には任せられなくて」

「手のかかる仕事だけど、たまには役に立ってくれよ」

【解説】プライドは高いけどぜんぜん使えない年上の部下に、面倒だけど難しくはない仕事を頼むときに。もちろん、実際にキャリアの長さがモノを言う仕事を頼むときに使っても、とくに問題はない。

【発展】無難にこなしてくれたときは「さすがベテランの味ですね」とホメておくと、また別の仕事を頼みやすくなる。



## 「たいへんだと思うけど、キミ以上の適任者はいないから」

「仕事なんだから、やるのが当然だろ」

【解説】負担の大きさは理解していることを示しつつ、おだてることで張り切らせる。「キミ以上の〜」に根拠はないが、相手は悪い気はしない。「仕事なんだから」は、ヤル気を一気に削ぐ言葉。

【類語】「この仕事をスムーズにやれるのはオマエだけだよ」「この分野が得意な○○君に、ひと肌脱いでもらいたいんだけど」

# 上司や先輩に頼む

## 「折り入ってご相談があるんですが」

「ちょっと面倒なお願いごとなので
心の準備をしてください」

【解説】異動の相談や借金の申し込みなど、それなりに相手に負担がかかることを頼むときに。いきなり持ちかけるより、こう言って身構えてもらったほうが、前向きな対応をしてもらえる可能性が高くなる。

【注意】書類の間違いの訂正など、些細なことを頼むときに使うのは不適切。あえてギャグとして使う分には、それはそれでアリ。

## 「厚かましいのは重々承知の上なんですが」

「このぐらいはやってもらってもいいと思ってるけど」

【解説】持っている資料をメールで送ってほしいなど、ちょっと手間がかかる仕事を先輩に頼みたいときに。こうして先手を打つことで、相手が「こいつ、厚かましいな」とムッとする事態を予防できる。

【類語】「ご面倒をおかけしてたいへん恐縮ですが」「こういうことを○○さんにお願いするのは心苦しいのですが」

## 「音声の具合が、なんかちょっとヘンですね」

「また音声をミュートにしてるだろ。
早く覚えてくれよ」

【解説】リモート会議が始まったが上司の音声が聞こえない。たぶん音声の設定がミュートになっているので、それを解除してほしいときに。ストレートに指摘すると、かなりキツイ印象を与える。

【類語】「お電話が遠いようです」本当は「もっと大きな声で話してくれ」とか「電波状況が悪いから別の場所からかけてきて」と言いたいときに。

**ポイント3**

★大きなお願いの場合は心の準備をしてもらう
★疑問を呈することで暗に対応を要求する
★「ご指導ご鞭撻」は実際には欲しくない

## 「私ひとりでは心もとなくて」

「ひとりで十分なんだけど、
声をかけないとすねるからな」

【解説】上司に取引先への同行を頼むときに。同行が当然の状況でも、たんに「ご同行お願いします」だときっと渋い顔をされる。こう言って「やっぱり俺がいないとな」といい気になってもらおう。

【発展】「部長にご同行いただけたら先方もさぞお喜びになるかと」「課長がいてくださったら百人力です」



## 「お手すきの折にお目通しください」

「できればさっさと見てほしい」

【解説】作成した資料や得意先に送る見積書を見てほしいと、上司にメールで頼むときに。対面で頼む場合は「お時間あるときにご覧ください」か、カジュアルに「できました。置いときます」でも可。

【注意】こう言われた場合、手がすくまで目を通さなくてもいいという意味ではない。また、ただ目を通せばいいわけでもない。

## 「今後ともご指導ご鞭撻のほど、よろしくお願い申し上げます」

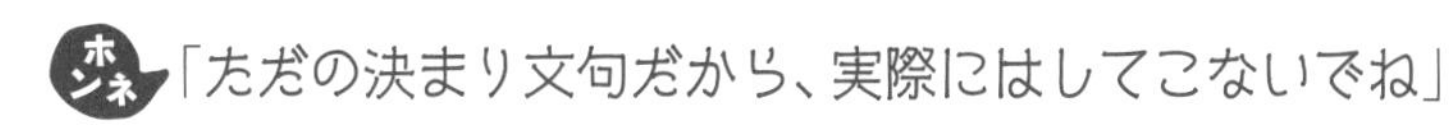


【解説】部署を異動する場面でのメンバーへのあいさつや、転職を知らせるメールやハガキの締めで。本当に「ご指導」や「ご鞭撻（強く励ます）」が欲しいわけではなく、相手を形式的に立てるための言葉。

【応用】結婚披露宴での新郎新婦のスピーチ、町内会の役員になったときのあいさつ、年賀状（年賀メール）など、幅広い場面で使える。

# 取引先や顧客に頼む

## 「ご理解の上、ご協力いただきますようお願い申し上げます」

「もう限界なので、値上げさせてください」

【解説】取引先にメールで値上げや条件の変更をお願いするときに。決定事項としての通告ではなく、「ご検討いただけないでしょうか」という書き方をしたり、事前に根回しをしたりしないと話がこじれる。

【類語】「ご賢察いただき、ご理解ご協力をお願い申し上げます」さらにていねいで堅苦しい言い方だが、強い決意をにじませることができる。

## 「こちらの都合で申し訳ないのですが」

「結局、やってもらうしかないんですけどね」

【解説】取引先に厳しめの納期を告げたり、無理めの値段でお願いしたりするときに。力関係や立場的に相手がイヤと言えない状況でこそ、こういう言い方で下手に出るのが仕事を円滑に進める大人の小技。

【応用】相手の落ち度で納期が遅れているときに、あえてこう前置きして「○日までには必ずお願いします」と催促すると、迫力が増す。

## 「今しばらく、ご猶予をいただけないでしょうか」

「いくら急かされても、できないものはできません」

【解説】納期の延長を取引先にお願いするときに。具体的に「あと○日」と言うことも多い。「あの件、どうなりました？」と返事を催促されたけど、上司の判断が遅れていてもう少し時間がかかるときにも。

【反応】相手は「絶対に無理」と判断して言っているので、こう言われたら「それは困ります」と言ってもムダで、承諾するしかない。

ポイント3

★相手に不利な場合は「ご理解」を求める
★立場が強いときほど下手に出て頼みたい
★「上」の威を借りつつもうひと押しする

## 「最近は、こういうことを安心してお願いできる会社が減っちゃって」

「長い付き合いだから、たまには仕事を回してあげるよ」

【解説】たとえこじつけでもいいので、「なぜこの仕事をあなた（の会社）に頼みたいのか」という理由を言い添えることで、お互いに気持ちよく仕事ができる。さりげなく呟くのがコツ。

【注意】相手の技術や感覚がやや古くさいことには、絶対に触れてはいけない。



## 「もうひと声のご決断をいただけると、上を説得しやすくなるかと」

「高いなあ。もうちょっと安くしてよ」

【解説】文法的には不自然な言い方だが、下手に出ているように見せつつ、「この値段だと、話がまとまる可能性はない」と脅している。前置きとして、品質やプランは高く評価していることを強調しよう。

【類語】「なるほど……。この金額はもう、ここから変わる可能性はなさそうでしょうか」家電量販店で買い物をするときにも使える。

# お店や業者に頼む

## 「恐縮ですが、ご足労いただけたら幸いです」

「当然だけど、そっちが来てくれるんだろうね」

【解説】自分が「客」や「発注元」で、業者との打ち合わせをすることになり、こっちに来てくれと提案するときに。来てもらうのが前提でも、最初から「そっちが来るのが当然」という顔をするのは禁物。

【発展】「○月○日に伺います」と言われたときや、実際に来てもらったときの「お忙しいところ、ご足労おかけして恐縮です」もセット。

## 「差し支えなければ、サンプルをお送りいただけないでしょうか」

「検討してあげるから、サンプルちょうだい」

【解説】これも自分が強い立場だからこそ、あえてていねいにお願いするのが望ましいケース。「客」の側になったときに威張るのは、大人として極めて恥ずかしい。しかも「その程度の人か」と軽く見られる。

【発展】届いたときには「たしかに拝受いたしました。上司と検討して○日頃までにはご連絡いたします」といったメールを送る。

## 「この期に及んで申し訳ありませんが」

「今ならギリギリどうにかなるよね……」

【解説】急に上司の気が変わるなどして、内装工事に入っている業者や仕事を発注している取引先に、依頼した内容の変更や追加をお願いするときに。こう言うことで、対応してもらえる範囲が広がる。

【注意】あまりにも「この期」過ぎると、どうにもならない。また、何度もこれをくり返していると「使えない人」のレッテルを貼られる。

ポイント3
★客だからと威張るのは恥ずかしい所業
★ビジネスにおいても情と心意気は大切
★怒っているときもまずはていねいな言葉で

## 「またちょっと無理をお願いしたいんだけど」

「こういうときのために、
日頃からひいきにしてるんだから」

【解説】なじみのお店に営業時間外の宴会や手間がかかる特別メニューなど、イレギュラーな対応を頼みたいときに。あくまで情に訴えたお願いなので、OKしてもらえるかどうかは言い方次第である。

【応用】ヒマで困っていそうなお店に予約を入れるときも、こういう頼み方をしたい。「助けてやるよ」的な顔は見せないのが大人の粋。

## 「今一度、ご考慮いただけないでしょうか」

「もうちょっとマシなプラン(商品)を持ってきて」

【解説】プランや商品を提案されたが、箸にも棒にもかからなかったときに。ただ、世の中には「下手に出るとつけ上がる」という習性を持つ人も多く、せっかくのやさしい頼み方が裏目に出ることもある。

【発展】相手の性格によっては「もうちょっとどうにかならないの」「そろそろ本気出してくださいよ」といった言い方が有効な場合も。

## 「早急に誠意あるご回答をお願いいたします」

「のらりくらりと逃げ回りやがって。出るとこ出るぞ」

【解説】ミスやトラブルで大きな迷惑をこうむったが、相手がまともに対応しようとせず、ぜんぜんラチがあかないときに。こう言っても態度を変えなければ、「しかるべき対応を取ります」といった宣戦布告を。

【発展】相手は「何をしていいかわからない状態」にある可能性もある。時には、こっちが対応策を助言したほうが話が早いケースも。

# いろんな相手に頼む

## 「ご査収ください」

「受け取って中身を確認してください」

【解説】書類やデータを送るときの送り状やメールに。「大丈夫だったかどうか教えてほしい」というニュアンス。確認の重要度や相手の立場によって「お目通し」「ご精査」「ご高覧」などを使い分けたい。

【反応】受け取りっぱなしではなく、「たしかに拝受いたしました」「確認いたしました」などとリアクションしないと、相手は不安になる。

## 「○○さんからお話しいただけないでしょうか」

「あの人、怖いからあんまり話したくないんですよね」

【解説】ある人に頼みごとをするにあたって、その人と近い人物に代弁を頼みたいときに。自分で言うのはイヤという気配は押し隠して、あくまで「そのほうがすんなりOKしてもらえそうだから」というテイで。

【応用】誰かに苦言を呈したいときにも、「私が言うより、○○さんが言ったほうが説得力があると思うんです」と言って代弁を頼む。

## 「夜に音とか気になるようでしたらおっしゃってくださいね」

「夜になると生活音がけっこう響いてきてウルサイよ」

【解説】お願いの形を取ってはいるが、じつは騒音に対する遠回しな抗議である。言われた側は、ノンキに「いえ、大丈夫です」と言っていないで、「ウチ、ウルサイですよね。すいません」と謝りたい。

【発展】こう言っても意図が通じない可能性は高い。マンションの場合、直接ではなく、まずは管理会社や大家さんに相談するのが無難。

ポイント3

★「ご査収」は大人の必須ワードのひとつ
★お願いという形で抗議を伝えるケースも
★断る余地を残すことで断りづらくする

## 「先生に、ご教示のお言葉を賜りましたら幸甚に存じます」

「先生にスピーチしてもらえたらハクが付きます」

【解説】恩師や取引先の社長など“偉い人”に、自分の結婚披露宴や会社のパーティなどのスピーチを頼みたいときに。「これからの人生に対するご教示のお言葉を～」と、さらに仰々しく言ってみるのもオツ。

【応用】相手や状況によっては、もう少しカジュアルに「お言葉をいただけないでしょうか」ぐらいで。それでも十分にていねいである。

## 「無理なら断ってくれていいんだけど」

「たぶん断らずにやってくれると思うから言うんだけど」

【解説】友人、ママ友、趣味の集まりの仲間などに、ちょっと面倒なことを頼みたいときに。いちおう断る余地を残して頼むことで、むしろ断りづらい雰囲気を作り出すことができる。

【注意】こう言ったからには、もし断られたとしても、動揺や不満をおくびにも出さず、「うん、わかった。無理言ってごめん」と冷静に対処したい。

# 友人や恋人に頼む

## 「こんなことを頼めるのはキミしかいなくて」

「キミならダメとは言わないだろうと思って」

【解説】そこそこの額の借金や別居中の配偶者に届け物をしてほしいなど、よっぽどの親しい友人にしか頼めないことを頼むときに。「引き受けてくれないと困る」というプレッシャーを与えることができる。

【発展】無理な頼みごとを聞いてもらったときの「恩に着るよ」も、大人として一度は使ってみたい言葉のひとつ。

## 「そこをなんとか」

「OKしてもらわないと困るんだよ」

【解説】相手にとっては気が進まないであろう頼みごとをして、案の定、難色を示されたときに。ビジネスシーンにおける「そこをなんとか」はあまり効力がないが、友人や恋人にはけっこう有効である。

【注意】こういう頼み方を受け入れてくれるのは、こちらを大事な存在と思ってくれている相手だけ。関係が薄い人に使ってはいけない。

## 「このあいだのお礼にごちそうさせて」

「借りを返したいからごちそうしてあげるよ」

【解説】友人や恋人や同僚にお世話になって、そのお返しをしたいときに。「ごちそうさせて」とお願いするテイを取るのは、相手の気を楽にするための大人の気づかい。感謝の気持ちもあらためて表現できる。

【応用】相手にとって頼みづらいことほど、「俺がしてあげるよ」ではなく、「俺にやらせてもらえないかな」とお願いするテイを取りたい。

ポイント3

★時には関係性に甘えるしかない場面も
★恩返しのごちそうはお願いのテイで提案する
★相手の反応を先回りしてケンカを防ごう

## 「今度からは、そう言ってもらえると嬉しいな」

「言ってくれないとわからないよ。
いきなり怒り出さないで」

【解説】誤解や認識の違いで恋人とケンカになり、いちおう仲直りしたときに。「なんでそうなの！」と責めても、ケンカになるだけで改善にはつながらない。変えてほしいことは、お願いの形で指摘しよう。

【補足】人と人は「言わないと伝わらない」のが前提。ムッとした態度で相手が察するのを期待しても、お互いに不愉快になるだけ。

## 「呆れられるのはわかっているんだけど」

「仕事なんだから、しょうがないだろ」

【解説】急な仕事が入って恋人にデートの日程変更を頼みたいが、最近こういうことが何度かあって言いづらいときに。先にこう言われてしまうと、相手は呆れたり怒ったりしづらくなる。

【反応】「お仕事なんだから仕方ないわよ。楽しみが先に延びただけだから、気にしないで」相手に対する愛情が十分にある場合。

## 「もう一度、やり直すことはできないかな」

「うう、別れたくない」

【解説】恋人から別れ話が出たけど、自分の側にはまだ愛情がある場合に。こちらの出方を窺っている可能性もあるので、はっきり口に出して再考をお願いしよう。黙っていると同意したとみなされる。

【応用】久しぶりに会った元カレや元カノに対しても使える。ただ、原因があって別れたはずなので、うまくやり直せる可能性は低い。

# 家族や親戚に頼む

## 「それぞれ都合があるとは思うんだけど」

「もちろん予定を合わせてくれるよね」

【解説】高校生以上の子どもに、親戚の結婚式や葬儀や法事への出席を頼むときに。「行くからな」と押し付けるのではなく、いちおう都合を尊重する姿勢を見せたほうが、きっと素直に行ってくれる。

【応用】「わかった。行くよ」と言った場合は、「おじさんも喜ぶよ」などと、主役や故人の気持ちを代弁して感謝しておきたい。

## 「おじさんのお顔の広さを見込んで」

「よく知らないけど、いろいろ手広くやってたんだよね」

【解説】親戚に就職のあっせんや人の紹介を相談したいときに。そんなふうに「見込んで」いると伝えることで、いい気持ちになって張り切ってもらおう。実際に顔が広いかどうかは関係ない。

【類語】「博学ぶりを見込んで」「深い見識を見込んで」「料理の腕を見込んで」「センスのよさを見込んで」「人生経験の豊富さを見込んで」

## 「若さをお借りできたらと思ってるんだけど」

「たまには年寄りを助けてくれてもいいわよね」

【解説】ホームパーティの準備の手伝いを息子の妻に頼みたいときに。自分の娘なら「手伝ってよ」でいいが、こうした言い方で気をつかっている気配を醸し出す。たまの頼みごとは、距離を縮める効果もある。

【反応】こう言われた側は、「いやだわ、お義母(かあ)さま、若さをお借りしたいのは私のほうですよ」ぐらいの返しはしたい。

**ポイント3**

★身内への頼みごとでも気づかいは大切
★適度な頼みごとは相手との距離を縮める
★ていねいな前置きには不満を匂わせる効果も

## 「忙しいとは思うけど、勝手に進めるわけにはいかないので」

ホンネ 「こっちにばっかり押し付けないでよ」

【解説】親の介護や実家の片付けなど、やっかいな問題への協力をきょうだいに頼む。近しい関係だからこそ、ホンネをぶつけるのはタブー。「忙しいとは思うけど」と前置きを付けることで、ていねいに話を進める。

【反応】「いつも任せっぱなしで申し訳ない」言われた側も、謝罪を省略しないことが大切。



## 「と、凍死寸前です。お、お風呂を……」

「帰ったらすぐにお風呂に入りたい」

【解説】寒い日の帰宅途中で、家族や配偶者にLINEなどでお風呂にお湯を入れておいてくれることを頼むときに。大げさな言葉を使うことで、「しょうがないなあ、やってやるか」という気持ちを引き出す。

【類語】「が、餓死寸前です。ご、ごはんを……」お風呂も食事も、準備してもらったら「おかげで命拾いしたよ」と同じノリのまま感謝を伝えたい。

＋αのワザ

# 活用したい大人の「クッション言葉」

人間関係やコミュニケーションを円滑に保つ上で、クッション言葉は極めて重要である。ひと味違うクッション言葉で、当たりをやわらげつつ自分の評価もアップしてしまおう。

## 自分を貫く「攻め」のクッション言葉10選

頼んだり誘ったり怒ったりといった「攻め」の場面でくり出そう。

「ご無理なお願いであることは承知しているのですが」
「お使い立てしてしまうような形になって申し訳ありませんが」
「もちろん気が向いたらでいいんだけど」
「こういうお願いはご迷惑かと思うのですが」
「お忙しい○○さんをいきなりお誘いするのは失礼かと存じますが」
「重ね重ねのご連絡でたいへん心苦しいのですが」
「おこがましいのを承知であえて申し上げると」
「私ごときが○○さんにこんなことを言うのは釈迦に説法なんですが」
「もし的外れでしたら聞き流してもらえたらと思うんですけど」
「そうそう、そういえば思い出したんだけど」

## ふわりと返す「守り」のクッション言葉10選

断ったり謝ったり承諾したりといった「守り」の場面でくり出そう。

「たいへん魅力的な（けっこうな）お話だとは思うんですけど」
「私のことを考えてくださってありがたい限りではあるんですが」
「身に余る光栄なお話ではありますが」
「せっかくのご期待に沿えなくて申し訳ありませんが」
「どのツラ下げてと思われても仕方ないのですが」
「けっしてそんなつもりじゃなかったんだけど」
「ひとえに私の力不足が招いたことではあるんですが」
「私なんかでお役に立てるかどうかわかりませんが」
「たしかにそういうご意見もあるのは承知しておりますが」
「あらためて申し上げるのもかえって失礼かもしれませんが」

## ログセにしたい「定番」のクッション言葉

「おかげさまで」「よろしければ」「お手数ですが」「おそれいりますが」「恐縮ですが」
「あいにくですが」「せっかくですが」「申し訳ありませんが」「勝手ながら」
「失礼ですが」「差し支えなければ」「お恥ずかしながら」「お言葉に甘えて」

PART・2

カドを立てない

# 断り方

頼まれごとや誘いに対して、
残念ながら期待や希望に沿えないケースもあります。
相手のショックや落胆を最小限に抑えつつ、
納得して引き下がってもらう——。
そんなしなやかな断り方を会得しましょう。

# 部下や後輩に断る

## 「今は状況的に難しいけど、その姿勢はいいと思うよ」

「タイミングおかまいなしに提案されてもな……」

【解説】部下が新しいプランやアイディアを提案してきたけど、それについて検討している状況ではないときに。ヤル気は評価しつつ、提案を聞き入れることは断っている。

【応用】提案してきたプランが箸にも棒にもかからないものだったときにも使える。次は、マシな提案をしてくるかもしれない。

## 「あー、アレどっかに行っちゃったんだよな」

「探すのたいへんだから自分でどうにかして」

【解説】後輩が「○○の資料、お持ちじゃないですか？」と聞いてきたけど、後輩自身でも用意できそうなときに。他人を頼って自分が楽をしたがる傾向があるタイプには、こう言ってお灸をすえたい。

【注意】自分が持っている資料がないとどうしようもないときは、たとえ探し出すのに時間がかかりそうでも、断らずに協力してあげよう。

## 「情けないことに、この世でいちばん怖いのが妻なんだ」

「嬉しいけど、人生を棒に振りたくないよ」

【解説】部下や後輩から「好きなんです」と告白されたときに。妻を引き合いに出すことで、相手を否定しないまま「あきらめてほしい」という意志を明確に伝えて、話がこじれることを防いでいる。

【補足】「そう言ってもらって、男冥利（みょうり）に尽きるけど」と相手を立てておくことも大切。お互い、いい思い出にしたい。男女逆のケースでも使える。

ポイント3
★意欲やヤル気はしっかり受け止めたい
★ショックを最小限に抑える配慮は大切
★断ることを期待されている場合もある

## 「声をかけてもらったのは嬉しいけど」

「お互いに気まずいだけだから、遠慮するよ」

【解説】部下が「みんなで飲みに行くんですけど、課長もぜひ」と誘ってくれたけど、あきらかに「いちおう声をかけてる」だけのときに。こう言った上で、適当な理由を付けて断るのが「いい上司」である。

【反応】誘った側は、うっかりホッとした表情を見せてはいけない。「次はぜひお願いします」と、あくまでも残念そうな態度を貫こう。

断り方

## 「今日あたり飲みたいと思ってたんだけど……」

「オマエと飲んでもつまんないしな……」

【解説】どういう風の吹き回しか、後輩が「飲みに行きませんか」と誘ってきたが、いまいち気が進まないときに。気分や都合で誘いを断るのは仕方ないが、「冷たい対応」にならないように気をつけたい。

【注意】もしかしたら、何か相談があったのかもしれない。近いうちに「今日はどう？」と誘い返してあげるのも、先輩の務め。

# 上司や先輩に断る

## 「課長に頼まれている仕事が終わってからでもいいでしょうか」

「次々に言ってこられても、いっぺんにはできないよ」

【解説】仕事がたまっているタイミングで、先輩から別の仕事を振られたときに。会社生活では、基本的に「できません」と断るのはタブー。上司の威を借りつつ、断らずに断る言い方を活用しよう。

【類語】「明日の朝、早く来てやるのでは間に合わないでしょうか」は暗に断ってはいるが、「それでいいよ」と言われたらやるしかない。

## 「今の状況だと、かえってご迷惑をおかけしそうなので」

「これ以上忙しくなるのはカンベンしてくれよ」

【解説】上司から、今の仕事に加えて別のプロジェクトも担当してみないかといった打診があったときに。「お引き受けしたいのはやまやまですが」「身に余る光栄なお話なんですが」といった前置きは必須である。

【注意】上司はよかれと思って新しい仕事を振ってくれているので、無理をしてでも引き受けたほうがいい場合もある。

## 「あいにく今日は田舎から両親（甥、姪、恩師）が出てきていて」

「今日は残業したくないから別の人に言ってください」

【解説】上司から急な残業を打診されたが、疲れていたり家でやりたいことがあったりして早く帰りたいときに。じつはデートや習い事なんだけど、面倒なので本当の理由は言いたくないときにも。

【類語】「海外に転勤になる同級生の送別会があって」「妻が風邪で寝込んでいて」いずれも、そうしょっちゅうは使えない。

ポイント3

★会社生活では「断らずに断る」のが原則
★ムッとさせずに断るためならウソも方便
★真意を察して、そのニーズに対応したい

## 「ついつい飲み過ぎて醜態をさらしたことがあって」

「仕事以外でもオンラインでつながるなんてまっぴら御免だ」

【解説】在宅中心の生活が続いている中、先輩が「オンライン飲み会やろうぜ」と提案してきたときに。過去の失敗談を話しつつ「だから、オンラインでは飲まないことにしてるんです」と言えば説得力がある。

【応用】「夜は妻が家にいて、家が狭いから丸聞こえなんですよ」と住宅事情のせいにする手も。そもそも無理に付き合う必要はない。

## 「あっ、気がつかなくてすいません。お注ぎいたします」

「もう飲めないよ。あっ、自分が飲みたいのか」

【解説】会社の飲み会で、上司や先輩が「まあ、飲めよ」とお酒を注ごうとしてきたときに。相手は話しかけるきっかけとしてお酒を勧めているだけなので、こう返しつつどうにか話題をひねり出したい。

【応用】「もう十分にいただきました」と断りつつ注ぐ流れでも大丈夫。「俺の酒が飲めないのか！」と言い出すオヤジは、ほぼ絶滅した。

## 「これからも良き先輩として、ビシビシ鍛えてくださいね」

「付き合うことはできないけど、根に持たないでね」

【解説】好みじゃない先輩から交際を申し込まれたときに。社内の相手からの告白を断る際に大切なのは、その後の気まずさを最小限に抑えること。「いいお友だちでいてね」の社会人バージョンである。

【発展】この前に「じつは長くお付き合いしている人が」と言って、ショックをやわらげておく手もある。実際にはいなくても問題ない。

# 取引先や顧客に断る

## 「その条件（納期）では、お引き受けいたしかねます」

「そんな無理な条件（納期）で、できるわけないだろ」

【解説】取引先から無理のある条件や納期での仕事を依頼されたときに。「いたしかねます」には、したいんだけど難しいというニュアンスが込められている。「申し訳ありませんが」などの前置きを付けつつ。

【発展】響きが堅苦しい分、よそよそしい印象を与える。多少は気心が知れた相手なら「お受けするのは難しそうです」ぐらいが適切。

## 「オンラインでお願いすることはできないでしょうか」

「このご時世だし移動も面倒だから、それでいいんじゃね」

【解説】昔ながらの仕事の進め方をしたがる取引先が、わざわざ顔を合わせる必然性はなさそうな対面での商談を提案してきたときに。別の方法を提案することで、結果的に相手の要求を断っている。

【発展】「オンラインを提案したら失礼かな」と、相手が気をつかっているケースもある。それで十分と思ったら、自分から率直に提案しよう。

## 「弊社の規定で、お受けできないことになっていて」

「接待して話を有利に進めようとしても、そうはいかないよ」

【解説】取引先から「一席もうけさせてください」と接待の誘いを受けたときに。「いやいや……」と言葉を濁していると、遠慮しているだけだと思われる。キッパリ言い切って「粘ってもムダ」だとわからせよう。

【応用】取引先の好みではない異性からデートっぽい食事の誘いを受けたときも、「弊社の規定で、個人的に会うことは禁じられていて」と断ろう。

ポイント3
★堅苦しい言い回しで取り付く島をなくす
★別の提案をすることで相手の要求を断る
★「弊社の規定」や「上」を便利に使おう

## 「貴意(きい)に添いかねることとなりました」

「あのプラン(値段)だと、さすがにちょっと無理です」

【解説】提案された企画や協賛の依頼などをメールや手紙で断るときに。ボキャブラリーの豊かさを見せつけつつ、あえて聞きなれない言葉を使うことで、微妙に壁を作っている雰囲気も醸し出せる。

【発展】どうせ使うなら「お申し越しの件、弊社で検討いたしました結果、誠に残念ではございますが〜」と、完璧なていねいさを目指したい。

## 「今回はご縁がなかったということで」

「あのプラン(値段)だと、さすがにちょっと無理です」

【解説】新商品や企画の売り込みを断るときに。「ご縁」という抽象的な言葉を使うことで、判断した自分の責任が軽くなったような気になれるし、相手も、受けるダメージが多少は軽減する。

【反応】「またぜひよろしくお願いします」断られたときこそ感じのいい対応を心がけたい。それが、次のチャンスにつながる。

# お店や施設などで断る

## 「もうひと回りして、また来ます」

「試着までしておいて悪いけど、やっぱり買わない」

【解説】お店で服を選んで試着もしてみたけど、いまいちピンと来なかったときに。店員さんも「お待ちしております」と見送ってくれるが、戻ってくる可能性が極めて低いことは十分に承知している。

【応用】ほぼ買うつもりだけど、ほかの店もいちおう見ておきたいときに使うのも一興。本当にまた来たら、けっこう喜んでもらえる。

## 「しばらく様子を見て、またご連絡します」

「悪くはなかったけど、なんせ高いからなあ」

【解説】紹介された鍼灸院に行ったら、「また２週間後ぐらいにいかがですか」と言われたときに。連絡しなければ「もう行きません」という意味だが、相手もそのへんの意図は察してくれる。

【注意】「費用の面で、とても続けられません」とはっきり言う必要はない。つらい症状になったときに、またお願いしづらくなる。

## 「いえ、大丈夫です」

「もらっても邪魔になるだけだからいりません」

【解説】レジで「サービスでステッカーをお付けしております」と言われたけど、カケラも欲しくないときに。「大丈夫です」は、今や「けっこうです」や「いりません」の意味での使われ方が定着した。

【発展】「大丈夫です」だけだと、やや素っ気ない。「ありがとうございます」とお礼の言葉を添えるのが、大人っぽい断り方である。

★「また」の約束は律儀に守らなくてOK
★「大丈夫です」にはお礼の言葉を添える
★あえて古くさい表現を使うのも大人の小技

## 「ちょっと考えさせてください」

「詳しく聞いてみたら、ちょっと違ったかな」

【解説】スポーツクラブや結婚相談所やセミナー系で説明を受けてみたけど、期待した内容ではなかったときに。ピンと来なかったら、「今なら入会金が半額です」といった甘言（かんげん）に乗せられてはいけない。

【発展】関西における「考えときまっさ」は「お断りします」の意味だが、関東などの「考えておきます」は少しだけ可能性が残っている。

## 「死んだおばあちゃんの遺言で、○○だけはダメなんだよ」

「よりによって嫌いなものを勧められちゃった」

【解説】行きつけの小料理屋さんやお寿司屋さんで「今日はおいしい○○が入ってますけど、いかがですか」と勧められたときに。食べ物の好き嫌いをやむを得ず表明する際は、冗談っぽさをまぶすのが大人の恥じらい。

【応用】カラオケやスピーチをどうしても断りたいときにも使える。おばあちゃんが元気な場合は「先祖代々の家訓」ということで。

## 「ぬか味噌が腐るといけないので今日は聞く係になります」

「ノリについていけなくて、なんか歌う気がしないな」

【解説】初めて入ったスナックで、ほかのお客さんから「どうぞ次、歌ってください」とマイクを勧められたときに。相手も気をつかって勧めているだけなので、こっちの分まで張り切って歌ってくれる。

【応用】カラオケは苦手なのに、強引に連れていかれたときにも使える。古式ゆかしい言い方が、決意の固さを表現してくれる。

# 友人や恋人に断る

## 「力になれなくて申し訳ないけど」

「いやいや、その頼みはさすがに無理でしょ」

【解説】友人から、就職の世話やまとまった金額の借金など、「それはちょっと無理」という頼みごとをされたときに。本来は謝る必要はないが、謝ることで相手の「チッ」という気持ちをやわらげている。

【類語】「ご期待に沿えなくて〜」「せっかく頼ってくれたのに〜」など。断ることで相手との距離ができてしまっても、それは仕方ない。

## 「そこは俺の出る幕じゃないかな」

「そんな面倒なことに巻き込まないでくれよ」

【解説】恋人から「友だちが悪い男に引っかかってる。目を覚まさせたいから、いっしょに説得してほしい」と、気が進まない頼みごとをされたときに。即答ではなく、しばらく考えたフリをしたあとで。

【発展】「自分がいると彼女が本心を話しづらいから」など、行かないほうがいいと判断した理由を適当に並べることで、ホンネを隠したい。

## 「いきなりだとビックリしちゃうから」

「会っちゃったら結婚の具体的な話をすることになるよね」

【解説】デート中に次の休みは実家に帰るという話をしていたら、そこそこ長く付き合っている恋人が、「私も行っちゃおうかな」と言い出したときに。ただし、近いうちに態度を決めないと破局を迎える。

【反応】おとなしく引き下がるだけだと、モヤモヤが残る。「いつならいいの？」とさらに詰め寄ることで、相手の真意を引き出したい。

ポイント3

★無理な頼みごとは謝りつつしりぞける
★無難に断っても課題が残ることもある
★「都合がつかない」は万能の断り文句

## 「今日はどうしても都合がつかなくて」

「急に言われても、こっちだって
忙しいんだから無理だよ」

【解説】友人から「もしよかったら、これから飲みに行かない」とLINEが来たけど、仕事や予定があって行けそうにない、あるいは行く気にならないときに。どう都合がつかないかを説明する必要はない。

【応用】「ああ、昨日だったらよかったのに」と不可能な仮定を持ち出すことで、相手が嫌いで断るわけではないという気持ちを表明できる。

## 「うわ〜、己の日頃の行いの悪さが恨めしいよ」

「そこまで残念ではないけど、
付き合いは保っておきたい」

【解説】友人に飲み会や旅行に誘われたけど、動かせない予定が入っていて、参加を断らざるを得ないときに。「これこれこういう予定があって」と説明しつつ、重なってしまった運の悪さをこう言って嘆く。

【類語】「うわ〜、日頃の信心が足りないんだな、きっと」「うわ〜、どうして身体がふたつないのかな」

# 家族や親戚に断る

## 「部長に誘われて食べてきちゃった」

「ホントはひとりで飲んできたんだけど……」

【解説】会社から帰って、配偶者から「ごはんは？」と尋ねられたときに。ひとりで飲みたくなって寄り道していたとしても、部長を引き合いに出して断ることで相手の怒りを最小限に抑えられる……かも。

【注意】ついしそびれる日もあるが、連絡を入れなかったのは完全にこちらの落ち度である。念入りな謝罪の言葉も添えよう。

## 「今回は親子水入らずでゆっくり過ごしたら」

「お正月早々、あのお義母さんの顔を見るのはカンベンして」

【解説】義母との関係がかなりこじれていて、夫の実家に行きたくないときに。表面上は無難な口実で押し通す。多少文句を言われても顔を合わせるよりはマシと思えるなら、断るのもまた大人の決断である。

【補足】そんな状況では、無理に行っても誰ひとりくつろげない。少し距離を置くことが、事態改善のきっかけになるかもしれない。

## 「横で見ながら教えられるといいんだけど」

「電話で教えるのは無理だよ。もう切っていいかな」

【解説】実家の親からスマホの設定方法やパソコンの使い方を聞かれたが、いくら説明してもラチがあかないときに。はっきり「電話じゃ無理」と言うと、相手はバカにされたと感じてヘソを曲げてしまう。

【注意】身内にこの手のことを教えるときは、他人のときとは比較にならないほどイライラが募る。つい声を荒げないように気をつけたい。

ポイント3
★あくまでもっともらしい理由を前に出す
★長居を打ち切るときは自分が悪者になる
★不甲斐なさを強調してあきらめさせる

## 「わっ、もうこんな時間！ 長居してすいません」

「よし、今が帰るチャンスだ！」

【解説】親戚の家を訪問して、なかなか帰るタイミングがつかめず、とうとう「ごはん食べていけば」と言われたときに。相手が本当に食べていってほしそうな場合は、誘いを断ってあわてて帰る必要はない。

【応用】相手や状況にかかわらず、立ち話や電話が長くなってしまったときは「長くなってごめんなさい」と謝ることで切り上げられる。

## 「今日はお引き止めできませんが、またゆっくりごはんでも」

「こっちだって予定があるんだから、そろそろ帰ってよ」

【解説】近くに住む親戚や義父母が訪ねてきて、予想以上に長く腰を落ち着けているときに。残念そうな口調でこう言うことで、これ以上の長居を断ることができる。ビジネスシーンで使うのもオツ。

【類語】「すっかりお引き止めしてすいません」こっちが引き止めたわけではないが、これも謝ることで区切りを付けている。

## 「不甲斐ないことでお恥ずかしい限りです」

「親戚とはいえ、できることとできないことがあるよね」

【解説】親戚から、縁談や就職、あるいは借金や保証人など、おいそれとは引き受けられないことを頼まれたときに。こういう理由で今の自分には無理だと説明しつつ、頭を下げてお引き取り願おう。

【反応】「えー、あてにしてたのに」といった捨てゼリフは禁物。「こちらこそ無理をお願いして申し訳ない」と、念入りに頭を下げよう。

# さまざまな場面で断る

## 「間に合ってます」

「ったく、この忙しいときに」

【解説】どうでもいいセールスの電話がかかってきたときに。あるいは、道端で怪しげな人が怪しげなものを売りつけようとしてきたときに。半端にていねいな対応をしようとせず、クールに言い放ちたい。

【注意】断ったつもりで「けっこうです」と言ったのに、相手が強引に「OKです」の意味に取ってひどい目に遭ったというケースもある。

## 「このままでけっこうです」

「いちいち言わないといけないのも面倒だけどね」

【解説】コンビニで買い物をするときに。カゴを置いた瞬間にこう宣言すれば、店員さんはレジ袋の要不要を尋ねなくても済む。小さな気配りを発揮することで、小さな幸せと自己満足を味わうことができる。

【応用】書店で文庫本を買ったときも、出した瞬間に「カバーはけっこうです」と宣言したい。うっかりしていると、すぐ手遅れになる。

## 「お恥ずかしいのですが、筋金入りの不信心者で」

「宗教とかそういうことは、やりたい人だけでやってよ」

【解説】趣味のサークルのメンバーやご近所さんから、宗教の勧誘を受けたときに。教えの内容についての議論をふっかけたりしたら、相手をさらに張り切らせてしまう。興味のなさが伝われば十分である。

【応用】まったく興味が持てない趣味の集まりに誘われたときも「お恥ずかしいのですが、そちら方面の素養はまったくなくて」と断る。

ポイント3

★迷惑な電話にもいちおう敬語で応対する
★中途半端な断り方は謙遜だと誤解される
★理由になっていなくても意図は通じる

## 「とてもみなさまにお聴かせできる代物ではありません」

「誰に聞いたか知らないけど、できるわけないでしょ」

【解説】趣味でウクレレをやっていて、町内会の役員から「今度の集まりでぜひ演奏してほしい」と頼まれたときに。断り方が半端だと謙遜だと思われるので、思いっ切りうろたえて全力で首を横に振りたい。

【発展】内心「やってもいいかな」と思っているときは、「みなさまのお耳汚しになるだけですので……」ぐらいのセリフを棒読み気味に返そう。

## 「もうすぐスマホを買い替える予定なので、そのあとでもいいですか」

「オマエなんかとLINE交換するのはイヤだ」

【解説】飲み会などで知り合っためんどくさそうなオジサンが「LINEの交換しない？（Facebookの友達申請していい？）」と言ってきた場面で。理由になっていそうでなっていないが、断りたい気持ちは伝わる。

【応用】その場では教えて、無視したり場合によってはブロックしたりという方法もあるが、それはそれでカドが立つしストレスが溜まる。

+αのワザ

# マスク越しコミュニケーションの基本

新型コロナウイルスの出現によって、今やいつでもどこでもマスクは必需品となった。
マスク越しのコミュニケーションを円滑に行うための「基本と小技」を身に付けよう。

## 押さえておきたい5つの基本

### 《その1》➡ 見えないからこそ大げさな表情を心がける

当初は「相手の表情がよくわからない」ことで、お互いに不安を覚えていた。
そのへんはだいぶ慣れてきたが、なるべく大げさな表情を心がけて安心感を与えよう。

### 《その2》➡ 見えなくても表情のニュアンスは伝わる

口元が見えないからといって、油断は禁物。「目は口ほどにモノを言う」の
ことわざもあるように、目だけでも喜んでいる
かウンザリしているかなどの感情は伝わる。

### 《その3》➡ 今まで以上に身振り手振りを意識したい

日本ではボディランゲージは重視されてこなかったし、多くの人は得意ではない。
しかしもはや、そうは言っていられない状況である。
常に意識して、積極的にくり出そう。

### 《その4》➡ 適度な距離を取るのは今や基本的なマナー

人と話すときに、かつては「離れて立つのは失礼」だったが、今は逆。
適度な距離を取るのが基本的なマナーである。
打ち合わせでも、相手の正面ではなく斜めの位置に座りたい。

### 《その5》➡ マスクの材質に苦言を呈するのはやり過ぎ

マスクの材質ごとの「効果」が、よく話題になる。しかし、たとえ気になっても、
他人のマスクの材質に苦言を呈するのはやり過ぎ。
それは大人としての一線を超えている。

## 使いこなしたい5つの小技

- 《その1》➡ オシャレなマスクには必ずホメ言葉を贈る
- 《その2》➡ マスクをホメられたらやや大げさに喜ぶ
- 《その3》➡ ヒモの直し方にこだわりと美学を追求する
- 《その4》➡ 目元のメイクに着目し、しみじみ堪能する
- 《その5》➡ 初めてマスクを取った相手には感動を示す

PART・3

# あとを引かない
# 謝り方

謝るべきときにきちんと頭を下げられるのが、
大人の必須条件であり大人の心意気です。
状況と目的に応じたフレーズをくり出して、
怒りをしずめたり顔を立てたりする――。
そんなパワフルな謝り方を目指しましょう。

# 部下や後輩に謝る

## 「おみそれしました」

「オマエがそこまでやれるとは思っていなかった」

【解説】部下の企画書が素晴らしい内容だったり、後輩が大きな取引をまとめたりしたときに。「能力に気がついていなくて申し訳ない」という意味。上司や先輩として、ぜひ使いこなしたい言葉のひとつ。

【発展】目上の人に使っても大丈夫。ただ、「見くびっていた」というニュアンスも含むので、頻繁に使うとむしろ侮辱になりかねない。

## 「こんなことになって残念です。申し訳ない」

「俺のせいじゃないんだけど、ま、それは言うまい」

【解説】部署全体で進めていたプロジェクトが、会社の方針の変更で中止になったときに。自分も「被害者」のひとりではあるが、謝ることによって落胆している部下を慰めてあげるのが、上司の務めである。

【注意】部下といっしょに会社の悪口を言いたいのはやまやまだが、目先の連帯感は得られても、上司としての信頼や評価は得られない。

## 「夜分遅く(休みの日)に申し訳ありません」

「急ぎだから、できればすぐ対応してくれると嬉しいな」

【解説】部下に宛てて遅い時間や休日に、問い合わせのLINEを送るときに。敬語でていねいに謝ることで、急いで対応してくれる可能性が少しは高まる。ただ、すぐ対応してくれなくても恨んではいけない。

【発展】パソコンのメールも、スマホと連動して通知が鳴る設定にしているケースが増えた。夜遅くや休日に、緊急案件以外の送信をするのは控えよう。

ポイント3

★「おみそれしました」で謝りつつホメる
★自分に責任があるかどうかは関係ない
★積極的に謝ることで信頼を得てしまおう

## 「いや、謝らなきゃいけないのは、こっちのほうだよ」

「自分は部下だけに責任を押し付ける上司じゃないよ」

【解説】仕事でトラブルがあって、担当した部下が「このたびは」と謝ってきたときに。上司の自分に責任の一端がある場合はもちろん、ない場合も、こう返して部下をホッとさせつつ信頼を得よう。

【反応】「そ、そういうふうに言ってくださるなんて……。○○さんの部下でよかったです」と返せば、上司はたちまちメロメロになる。

## 「私のほうでもっとしっかりフォローすべきだったね」

「こっちも悪かったことにしてやるから、もう気にするな」

【解説】大きなミスをして落ち込んでいる部下や後輩に。じつはこっちには、客観的に考えて落ち度はない。そこであえて謝ることで、相手に反省を促したり、自分の器の大きさを示したりできる。

【類語】「ごめんごめん、ちゃんと確認しなかった俺も悪かった」「私が最初にきちんと説明しておくべきだったわね」

# 上司や先輩に謝る

## 「申し訳ございませんでした」

「きちんと謝罪できることを評価してほしいな……」

【解説】いろんな相手に、謝罪の気持ちを伝える基本の言葉。自分に落ち度があったときはもちろん、あるかないか微妙な場面でも、この言葉を積極的にくり出せる人のほうが、仕事ができそうに感じる。

【補足】大人にとって謝罪は「負け」ではない。必要な場面でも謝罪の言葉を出し惜しみするのは、自信のなさと未熟さの表れである。

## 「私が至らないばかりに このような事態を招いてしまい」

「自分のせいばっかりでもないけど、弁解はしません」

【解説】わがままな取引先を怒らせたり、後輩のミスで余計なコストがかかったりしたときに。こっちにだけ責任があるわけじゃないことは、上司もわかっているはず。わからない上司は、見切ってもいい。

【注意】事情を説明して自分の責任を軽くしたい誘惑にかられるが、無責任さや姑息さが強調されるばかりで、間違いなく逆効果である。

## 「部長の顔に泥を塗ってしまいました」

「こう言えば、とりあえず部長のご機嫌をとれるかな」

【解説】部長から紹介された得意先を怒らせたり、昇進試験や資格試験に落ちたりしたときに。深い忠誠心や敬意を示すことで、「まあ、しょうがない」と思ってもらおうとしている。

【類語】「部長からの恩を仇(あだ)で返すようなことをしてしまいました」

ポイント3

★きちんと謝ることは評価を上げる近道
★忠誠心や親近感を示すチャンスでもある
★まずは謝ることで相手を落ち着かせよう

## 「わかりづらい書き方をしてしまってすいません」

「おいおい、ちゃんと読んでくれよ。読解力ないなあ」

【解説】上司に報告のメールを送ったら、完全に読み違えてトンチンカンな返事が来たときに。「ちゃんと読んでください」と言っても解決にはつながらない。下手に出つつ、わかりやすく説明してあげよう。

【注意】本当にわかりづらい書き方だったり、肝心な言葉を打ち間違えていたりする可能性も。送ったメールは念入りにチェックしよう。

## 「失礼いたしました。見なかったことにしてください」

「うわ、恥ずかしい。
でも映っちゃったものは仕方ないか」

【解説】自宅でのリモート会議の最中に子どもが部屋に入ってきて、「あっちに行ってなさい」といったやり取りも含め、見事に映り込んでしまったときに。誰も責めないので、恐縮し過ぎる必要はない。

【応用】子どもにせよペットにせよ「お見苦しいものをお見せいたしました」と謝ると、たぶん相手は「かわいいですね」などとかぶせてもらえる。

## 「昨日はあまりにも楽しくて、酔っ払い過ぎてしまいました」

「なんかマズイことを言った気もしますが、
忘れてください」

【解説】上司（先輩）と飲みに行って、何軒もハシゴした翌日に。「申し訳ありません」と謝りつつこのセリフを言えば、また一段と距離が縮まる。多少の暴言があったとしても、水に流してくれるはず。

【発展】酒の勢いでとんでもない失言をしてしまったときは、「慚愧（ざんき）に堪えません」と謝る。深く恥じ入って反省しているという意味。

# 取引先や顧客に謝る

## 「お詫びの言葉もございません」

「……という『お詫びの言葉』です」

【解説】こちらの落ち度で取引先を怒らせたり、多大な迷惑をかけたりしたときに。強い謝罪の気持ちを表現している。「本当に申し訳ありません」とセットでくり出されがちだが、矛盾を気にする必要はない。

【類語】「深謝いたします」「衷心よりお詫び申し上げます」「幾重にもお詫び申し上げます」いずれも書き言葉で使われることが多い。

## 「メールにて恐縮ですが、取り急ぎお詫びとご連絡を申し上げます」

「会って謝ったほうがいいんだろうけど、あー、気が重い」

【解説】とてもメールだけでは済まない大きな失態を犯してしまったときに。どういうミスだと認識しているか、どこに原因があったかを報告しつつ、あらためて直接お詫びに伺いたいという旨を伝える。

【注意】「わざわざ会いに来られるのは迷惑（面倒、時間のムダ）」と感じる人もいる。会って謝罪することにこだわり過ぎるのは危険。

## 「当人には厳重に注意いたします」

「そういうことで、ひとつ矛を収めてもらえたらと……」

【解説】部下が重大なミスをして相手が激怒し、「上司を出せ！」という展開になったときに。「私どもの○○がとんでもない失礼をしでかしまして」「二度とこういうことがないように」などとセットで。

【応用】「当人には○日間の謹慎を命じました」などと、処分の内容を具体的に伝えることもある。ただ、必ずしも本当である必要はない。

ポイント3

★「言葉もない」と言いつつ言葉で詫びる
★こちらに非がないときは「遺憾」を使う
★謝ることで相手のミスを穏便に指摘する

## 「まことに遺憾(いかん)に存じます」

「そりゃ気の毒だけど、こっちが悪いわけじゃないよね」

【解説】勧めた商品を買ったお客さんが「イメージと違った」と文句を付けてきたときに。「遺憾」は「残念に思う」「心残りに思う」という意味。謝罪しているような雰囲気を醸し出しつつ、ちょっと突き放している。

【応用】取引先の不手際が重なったときに「たいへん遺憾(いかん)です」と言うと、「いいかげんにしろよ」と相手を非難する意味になる。

## 「すいません。添付ファイルが行方不明になっているようです」

「おいおい、ファイルが添付されてないよ」

【解説】取引先から「資料を送ります」というメールが届いたが、添付ファイルがないときに。あきらかに相手のミスであり、こっちが謝る必要はまったくないが、それだけに大人の配慮を示すことができる。

【類語】「当方のパソコンが不調で」とまで言うと、相手は自分が添付し忘れたことに気づかず、こっちのせいだと思い込む危険性も。

# 友人や恋人に謝る

## 「今、電車の中を全速力で走っています」

「実際に走ってはいないけど、
とにかく焦ってるってことで」

【解説】友人との待ち合わせで約束の時間に遅れて、相手から「あと何分ぐらい？」とLINEが来たときに。謝罪の言葉とともに、こうしたあきらかなウソを付け加えることで、申し訳なさとお茶目さを伝える。

【注意】こうした冗談が通じる相手と許される状況ならいいが、ひとつ間違えると火に油を注ぐことになる。

## 「こちらこそヘンなタイミングで誘っちゃってごめん」

「今回は都合が合わなかったけど気にしないで」

【解説】「明日、前から言ってた映画に行かない」と友人を誘ったら、「デートなんだ。ごめん」と謝られたときに。謝る必要のない場面での「こちらこそ、ごめん」は、お互いにあたたかい気持ちになれる。

【類語】「こちらこそ、気が利かなくてごめん」「こちらこそ、事情も知らずにお願いしちゃってごめん」

## 「穴があったら入りたいよ」

「おいおい、今、そんな話を
持ち出してこないでくれよ」

【解説】何人かいる酒の席で、友人が「コイツに昔、ひどい目に遭ったんだよ」という話を始めたときに。笑い話っぽく語っていたとしても、身を縮めながらこう言って、あらためて謝罪の意を示しておきたい。

【応用】若い頃にさんざん迷惑をかけた相手と再会したときに、「当時を思い出すと～」に続ければ、感謝と謝罪を同時に伝えることができる。

ポイント3
★あきらかなウソでお茶目に謝るのも一興
★「こちらこそ」で謝りつつ距離を縮める
★たとえ理不尽な怒りでも謝ってなだめる

## 「こっちも言い過ぎて申し訳ない」

「間違ったことは言ってないつもりだけど、
言い方は謝ります」

【解説】友人や恋人にちょっと注意するつもりが、ついあれこれ言ってしまったときに。シュンとして「悪かったよ」と謝っている相手に対して。言った内容については、撤回するつもりはない。

【注意】こう言ったあとで「オマエが○○だからだぞ」と、相手のせいにして自分を正当化すると、間違いなく感情的対立が長期化する。

## 「気がついてあげられなくてごめんね」

「どうして怒ってるのか、言わなきゃわかんないよ」

【解説】恋人が怒っていて、理由を聞いても答えてくれず、それでもさらに聞いたら、やっと教えてくれたときに。「どうして気づいてくれないのよ！」と責められたとしても、それは無理な相談である。

【注意】謝ることでひとまず機嫌が直るかもしれないが、根本的な解決にはならない。今後はもっと口に出して言ってほしい旨を伝えよう。

## 「あのときはごめん。自分が未熟だったよ」

「ずっと心の奥に引っかかっていたけど、
謝れてよかった」

【解説】昔、些細なことでケンカして疎遠になった友人と再会したときに。向こうは「何を今さら」と思っているかもしれないし、すっかり忘れているかもしれないが、自分の気持ちには区切りがつく。

【応用】別れた恋人と久しぶりに再会したときに言ってみるのもオツなもの。復縁するしないはさておき、甘酸っぱい気持ちにはなれる。

# 配偶者や家族に謝る

## 「ごめんなさい」

「なかなか口に出しづらいけど、やっぱり言わないとね」

【解説】配偶者や家族に対して、もっとも言いづらい言葉のひとつ。しかし、「言わなくてもわかってくれているはず」と勝手に期待して口に出すことをサボっていると、やがて取り返しがつかないことになる。

【発展】「ありがとう」や「自分が悪かった」も、配偶者や家族に対して言いづらいが、日常的にどんどん言ったほうがいい言葉である。

## 「言ってはいけない言葉でした」

「つい口が滑っちゃったけど、事実ではあるよね」

【解説】売り言葉に買い言葉で、相手がもっとも気にしていること（ゴク潰し、甲斐性ナシ、ハゲなど）を言ってしまったときに。そう簡単には許してもらえないだろうが、とにかく全力で謝るしかない。

【反応】落ち着いてから「言わせたこっちが悪いんだ」と返せたら理想的だが、そんな関係なら、そもそもこうしたケンカにはならないかも。

## 「心配かけちゃったね」

「こっちもつらかったけど、家族もつらかったよね」

【解説】失業や闘病で家族に苦労や心配をかけたけど、再出発のメドが立ったときに。自分の責任ではなく不可抗力の場合も多いが、心配をかけたことを謝ることで、感謝の気持ちを伝えることができる。

【発展】家族の側には「たいへんだったな」という気持ちもちょっとある。「みんなのおかげでがんばれたよ」といった言葉も添えたい。

**ポイント3**

★「ごめんなさい」と積極的に口に出そう
★謝罪と感謝はしばしば表裏一体である
★謝罪することで許すきっかけを与えたい

## 「ひとえに私の不徳の致すところです」

「悪かったけど、仕方ないじゃない。人間だもの」

【解説】「徳が足りなかったせいです＝品性や道徳心や実力が欠如していました」という意味。飲み過ぎて財布を落としたり、内緒の“火遊び”がバレたりして、配偶者がかなり激しく怒っているときに。

【応用】ビジネスシーンでも、部下の不始末を取引先に謝るときや、自分が率いるチームの営業成績がいまいちだったときなどに使える。

## 「どんなに謝っても許してもらえないことは重々わかっているけど」

「こんなに謝ってるんだから、いい加減に許してくれよ」

【解説】浮気や借金の発覚などで、配偶者を激怒させてしまったときに。そう簡単には許してもらえなくても、ひたすら謝り続けるのが愛情と誠意の示し方であり、細く残った活路を見い出す唯一の方法である。

【注意】許すか許さないかは、あくまでも相手の判断。そもそも悪いのはこっちなので、たとえ許してもらえなくても恨むのは筋違い。

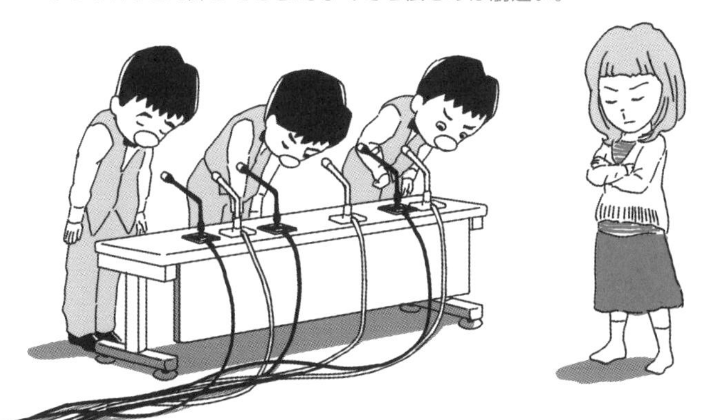

# ご近所や仲間に謝る

## 「ご無礼いたしました」

「おっと、うっかりしてました」

【解説】「申し訳ありません」と謝るほどのことでもないけど、ちょっと遠慮がある相手で「ごめん」もヘンかなというときに。形式的な印象が強い「失礼いたしました」より、ちょっと人間味がある。

【応用】訪問先から帰るときや電話を切るときに、「失礼します」の代わりに「ご無礼します」と言うと、ちゃんとした人っぽい印象になる。

## 「なにとぞご寛恕(かんじょ)いただけたら幸いです」

「うわー、面倒な相手を怒らせちゃった」

【解説】サークルの長老的な人に集まりのお知らせが届いていなくて、「どうなってるの？」と尋ねられてあわてて発送したときに。「どうか広い心でお許しください」という意味。話し言葉では使わない。

【類語】「なにとぞご宥恕(ゆうじょ)賜りたく存じます」とすれば、ていねいだが「どうだ、こんな言葉も知ってるんだぞ」というドヤ顔感も見え隠れする。

## 「けっしてそんなつもりじゃなかったんです」

「そんなつもりだったけど、まさか怒るとは……」

【解説】発言を悪意に取られたり、よかれと思ってしたことが相手の気に障(さわ)ったりしたときに。人間関係において、たまにお互いの「つもり」が食い違うのは仕方ない。悪気がなかったなら、謝れば済む。

【応用】そんなつもりはなかったけど、自分のミスで相手に迷惑をかけたときにも使える。この場合は、謝っただけでは済まないことも。

ポイント3
★言葉を微妙に使い分けると幅が広がる
★謝ることで窮地に陥った相手を救済する
★子どものことは親も悪者になって謝ろう

## 「苦手なことをやらせちゃって申し訳ない」

「あらら、もうちょっとデキる人かと思ったんだけど」

【解説】町内会の集まりで近所の人に会計係を頼んだが、お手上げだったようで「ど、どうすればいいでしょう……」と泣きついてきたときに。謝りつつ「気にしなくていいですからね」と慰めている。

【注意】ストレートに「恥をかかせちゃって申し訳ない」と謝るのは厳禁。できなかったことが「恥」だと言ってしまうことになる。

## 「まったく、親（＝自分）の教育が悪くて」

「悪いとは思ってないけど、
ここはそう言うしかないよね」

【解説】我が子がクラスメイトにケガをさせて、その家に謝りに行ったときに。言い分があったとしても、まずは謝罪の言葉が先決。最初から言い訳がましいことを口にすると、相手は態度を硬化させる。

【注意】アクシデントによる小さいケガやささやかなイタズラならこの言い方でいいが、イジメに加担して謝りに行く場合には不適切。

## 「このたびはとんだ粗相（そそう）をして、ご迷惑をおかけいたしました」

「お互いさまだから、どうか大目に見てください」

【解説】サイトやSNSでウイルスに感染して、つながっている相手に危険なメッセージが送られてしまったときに。「粗相」という言葉に「不可抗力だった」という悔しさや開き直りの気持ちを込めている。

【反応】自分もいつ感染するかわからない。責めたり怒ったりせず、「災難でしたね」「たいへんだったね」とねぎらうのが大人の心得。

# さまざまな場面で謝る

## 「取り返しのつかないことをしてしまいました」

「うわー、どうしよう。
もう煮るなり焼くなり好きにして」

【解説】あまりにも大き過ぎる失敗や迷惑で、どんな言葉で謝ったらいいかわからないときに。したことや起きたことは取り返しがつかないが、それでも人生は続く。別の形で少しでも「取り返す」しかない。

【類語】「謝って済む問題ではないことは重々承知しております」「けっしてお許しいただけることではないと思っております」

## 「一段とおキレイになっていらしたのでわかりませんでした」

「前に会ったことがあるのをすっかり忘れてました」

【解説】立食パーティで女性に「初めまして」とあいさつしたら「初めてじゃないですよ」と返されたときに。事実はさておき、ちょっとしたお世辞を通して、顔を忘れていた申し訳なさを伝えることで好感度をUP。

【応用】相手が男性の場合は「一段とイケメンになられていたので〜」で。いずれも、同性同士で使うといまいちしっくりこない。

## 「お騒がせいたしました」

「どうだ、俺って粋だろ」

【解説】友人と小さな飲み屋に入って、大きな声で盛り上がったときには、お店の人に軽く謝ってから帰ろう。隣りのお客さんと話した場合は、こう言いつつ「お先に」と立ち去るとお互いに後味がいい。

【反応】客同士でこう言われたときは「いえいえ、おかげさまで楽しかったです」と返すのが、大人のたしなみ。

ポイント3

★たとえ謝りようがなくても謝るしかない
★お世辞をくり出すこともお詫びの一種
★突然の気まずい状況は謝ってごまかそう

## 「不勉強で申し訳ありません」

「はいはい、あなたは物知りですよ」

【解説】目上の人との会話の中で本や映画や人物の話題が出たが、こちらは知らなくて相手に「えっ」という顔をされたときに。その場は体裁(ていさい)よくとりつくろえるが、根本的な不勉強の解決にはならない。

【類語】「寡聞(かぶん)にして存じ上げません」難しい言葉を使うことで、知っていて当然のことを知らなかった失態を少しだけカバーできる。

## 「お恥ずかしいところをお見せいたしました」

「おいおい、間が悪いなあ」

【解説】街中でグズる我が子を叱りつけていたり、夫婦で言い争いをしていたりという場面で知人に遭遇し、「お取り込み中にすいません」と言われた。謝ることでもないが、気まずさをごまかすために。

【応用】夫婦や恋人同士でイチャイチャしながら歩いていた場面でも使える。

+αのワザ

# 大人の進化！「リモート」のコツとワザ

リモート会議にリモート飲み会など、新しいコミュニケーションの形が広まっている。
好き嫌いはさておき、とりあえずは無難に対応するためのコツとワザを身に付けよう。

## リモートに力強く立ち向かう５つのコツ

《 コツ１ 》➡ 会議が始まる10分前にはパソコンの前にスタンバイする。
寝起きのタイミングで会議に出ることも可能だが、やはり頭と心の準備は大切である。

《 コツ２ 》➡ 何はともあれ「ミュート」のまま話さないように注意する。
やりがちではあるが、それだけに「パソコンスキルがない人」という印象を与える。

《 コツ３ 》➡ 何はともあれ「逆光で顔が真っ暗」の状態はどうにかする。
相手にしてみれば、見づらいだけでなく「なんかヤル気なさそう」と感じてしまう。

《 コツ４ 》➡ やり取りが家族に聞こえない＆うるさくない場所でやる。
会議でも飲み会でも、家族の耳や周囲の雑音が気になると、心ここにあらずになる。

《 コツ５ 》➡ 会議はともかく飲み会は無理してまで参加する必要はない。
断る口実には多少苦労するが、しつこく誘われたら「苦手なんだよね」で問題ない。

## リモートで華麗に振る舞う５つのワザ

《 ワザ１ 》➡ とくに必要なくても、たまにはスーツでバシッと決めてみる。
会議はもちろん飲み会でも、気合いを表現しつつ、自分自身も気持ちが引き締まる。

《 ワザ２ 》➡ 相手が「ココに突っ込んでほしい」というポイントを察知する。
凝ったバーチャル背景にせよ立派な本棚にせよ、相手は言及されるのを待っている。

《 ワザ３ 》➡ 何種類もの「うなずき」や手を使った多彩なポーズを駆使する。
深いうなずきに浅いうなずき、手を頭に置いて悩むなど、動きで気持ちを伝えよう。

《 ワザ４ 》➡ 必要以上に微笑みを浮かべつつ、ハキハキと大きな声で話す。
これらを心がければ、話の内容はさておき、ほかの参加者から高い評価を得られる。

《 ワザ５ 》➡ 終了ボタンはお辞儀しながら（or 笑って手を振りながら）押す。
終わりよければすべてよし。プツンとではなく、やや名残り惜しそうに去っていきたい。

PART・4

# いい気持ちにさせる
# ホメ方

ホメ言葉は大きなパワーを持っています。
しかし、使い方や加減を間違えたら逆効果。
ウソくささやわざとらしさを感じさせずに、
相手を喜ばせてこちらの印象もよくする——。
そんな美しいホメ方を実践しましょう。

# 部下や後輩をホメる

## 「いつもがんばってるね」

「仕事はまだまだだけど、
一生懸命やってるのは見てるよ」

【解説】部下として気になるのは、上司が自分をどう見ているか。折に触れてこうしたホメ言葉をくり出しておくのは、上司としての仕事のひとつである。これなら、とくに取り柄がない部下にも使える。

【類語】「ずいぶん成長したね」「期待してるよ」「○○君は努力家だよね」「いつも助かってるよ」「その調子でよろしくね」

## 「ここに気がつくのは、○○さんならではだね」

「ならではかどうかはわからないけど、
今回はお手柄だね」

【解説】自分でも見落としていた問題点に部下が気づいて、「こうしたらどうでしょう」と改善策を出したときに。たんに「お手柄だね」と言うより、個別でホメたほうが当人の喜びははるかに大きい。

【注意】ホメるつもりで「女性ならではのキメ細かさだね」と言っても、当人は嬉しくないし、そもそも問題に満ちた言い方である。

## 「○○君の表情の豊かさと うなずき方を見習わないとな」

「若い人たちのように、
すぐにはリモートに対応できないよ」

【解説】リモート会議にすっかり順応している部下が、極めて的確な表情の作り方やうなずき方を発揮しているときに。実際には気恥ずかしくて実行できなかったとしても、ホメておくことは大切である。

【注意】「やっぱり若い人は違うね。真似できないよ」といったホメ方をすると、時代についていけないロートル感が強調されてしまう。

ポイント3
★部下を折に触れてホメるのは上司の務め
★実行はできなくてもホメることはできる
★根拠のない比較でホメるのもオツなもの

## 「20代の頃の俺は、今のキミの足元にも及ばないよ」

「根拠のない比較だけど、まあ、元気出せよ」

【解説】近頃元気がない若い部下を飲みに誘ったら、「ぜんぜん成長していない自分が情けないです」などとグチを言い始めたときに。まだまだ未熟な部分は多くても、今後への期待を込めてこう励ます。

【反応】「えっ、ウソでしょ？」と疑う必要はない。「元気が出ました」と喜んで相手のやさしさに応えるのが、部下としての矜持(きょうじ)である。

## 「へー、しゃれた店を知ってるんだね！」

「こういうことをホメられると、嬉しいもんだよね」

【解説】いっしょに飲んだ流れで、後輩が自分の知っている居酒屋やラーメン屋やスナックに連れて行ってくれたときに。自分がオススメの店をホメられると、人格すべてをホメられたような気持ちになる。

【応用】状況に応じて「こんなうまい店を～」「こんなキレイなママがいる店を～」などに。

# 上司や先輩をホメる

## 「さすが○○さん、ひと味違いますね」

「いい部下になるには、たまにはホメておかないとな」

【解説】いっしょに得意先を訪問した上司が、それなりに流暢（りゅうちょう）なトークで商談をまとめたときに。チャンスを逃さず、ホメ言葉をくり出そう。「さすが」は、誰かをホメるときに幅広く使える万能ワード。

【発展】状況によっては「さすが格の違いを思い知らされました」「さすが伝説の営業マンですね」など、より力強いホメ言葉を。

## 「○○さんにホメられると自信がつきます」

「ホメてもらって嬉しいので、ささやかながらお返しを」

【解説】上司や先輩から「今回の企画書、よかったよ」などとホメてもらったときに。ホメ返して相手を持ち上げることで、こちらに対する評価がまた一段とアップする。「ホメにはホメを」の精神は大切。

【注意】相手とふたりだけの場面でしか言ってはいけない。ほかの上司や先輩が近くにいたら、間違いなくヘソを曲げる。

## 「今日はまた一段と冴えてますね」

「また始まった……。いちおうホメておいてあげます」

【解説】ダジャレ好きな上司が、例によって笑うに笑えないダジャレをくり出してきたときに。スルーするわけにもいかず、かといって反応し過ぎると調子に乗る。少し冷たさを漂わせつつホメておこう。

【類語】「今日も絶好調ですね」「今日もお元気そうで何よりです」「課長のダジャレには不思議なヒーリング効果がありますね」

ポイント3

★「さすが」を積極的に華麗にくり出そう
★時には「いちおうホメる」姿勢も大切
★伝聞で耳に入れば強烈なアゲ効果が

## 「的確なご指導のおかげで、無事にプレゼンができました」

「自分自身もがんばりましたけど、ちゃんと感謝もしてます」

【解説】プレゼンの準備の段階で、上司や先輩に内容などをチェックしてもらったときに。感謝を伝えながら相手をホメる手法。お世話になったら、このぐらいは言っておくのが大人の世渡り術である。

【発展】たくさんお世話になったときは「○○さんにご指導いただかなかったら、絶対にできませんでした」ぐらいの言い方で。

## 「いつかは○○さんのような上司になりたいです」

「お世辞に聞こえるかもしれないけど、まあまあ本心です」

【解説】こっちのミスをフォローして、さらに上の上司の前でいっしょに頭を下げてくれたようなときに。上司にとっては、いわば究極のホメ言葉である。差し向かいで飲みながら、ポツリと言うのも効果的。

【注意】ある程度は本心から思っていないと、如実(にょじつ)にお世辞くさく響いて、「調子のいいヤツ」というマイナスの印象を与えてしまう。

## 「ここだけの話、課長の発想力はスゴイと思うんだよな」

「頼むから、ここだけの話にしないで本人に伝えてくれよ」

【解説】本人がいない場で、別の同僚の前で課長をホメる。その同僚が何かの拍子に本人に伝える可能性は高いが、そうなったら直接ホメるよりも、はるかに強烈なインパクトを与えることができる。

【発展】「本人には言わないでくれよ」と強調すればするほど、伝わる可能性がアップする。同僚側の立場の場合は、迷わず伝えよう。

# 取引先や顧客をホメる

## 「御社（○○さん）に
## やっていただけたら安心です」

「信頼してあげてるんだから、ちゃんとやってよ」

【解説】長い付き合いの会社や個人に、難しめの仕事を依頼したときに。「安心です」と言い切ることで、相手の能力を力強くホメている。おだてることで張り切らせて、よりいい仕事をさせようという魂胆（こんたん）も。

【注意】不安そうな口調で「で、できますか？」と聞いてしまうような担当者は、相手とのいい関係は築けないし、出世もできない。

## 「ホントに素敵なオフィスですね。
## しかも、いつも活気があって」

「やれやれ、何をやったらこんなに儲かるんだか」

【解説】ピカピカで眺めがいい超高層ビルに入居している取引先を訪れたときに。相手にとっては自慢のオフィスなので、抜かりなくホメておきたい。活気云々は、適当に言っておいて問題ない。

【注意】自分の会社もそこそこ立派なビルにオフィスがある場合は、眺望なり広さなり、負けてる部分だけピンポイントでホメておこう。

## 「プロに向かって失礼ですけど、
## 完璧な仕上がりですね」

「当たり前なのかもしれないけど、やっぱりすごいよ」

【解説】取引先が高い技術を必要とする部品を見事に仕上げて、それを受け取ったときに。プロの仕事をホメるときは、「プロに向かって～」という前置きを付けると、我慢できずにホメてしまった感が出る。

【応用】写真家、物書き、陶芸家、画家といった相手に、作品自体ではなく技術の高さをホメるときは、この前置きを付けるのがマナー。

ポイント3

★「信頼」を伝えるのは最高のホメ言葉
★相手が自慢したい部分はきっちりホメる
★顧客には「お目が高い」を活用しよう

## 「やっぱり○○さんは、お目が高い」

「誰が見たって、これを選ぶだろうけどね」

【解説】何種類かのプランや商品から、お客さんが「これにしようかな」とひとつを選んだときに。「お目が高い」は、顧客をホメるときにもっとも汎用性があり、もっとも手堅く喜んでもらえる言葉である。

【発展】選ばなかったものを指して、「普通はこっちを選びがちなんですけど」と言いつつ選んだものの長所を説明すると、さらに効果的。

## 「○○さんに使ってもらえて、商品もさぞ喜んでると思います」

「商品は喜ばないけど、
ま、買ってくれたお礼ってことで」

【解説】商品（洋服、家電、高級文具など）を買ったお客さんに。商品に人格があるような言い方をすることで、間接的に相手を持ち上げている。根拠はないとわかってはいても、本人としては嬉しくなる。

【類語】「○○さんに買われるなんて、こいつもコーヒーカップとして生まれてきた甲斐がありましたね」

# 友人や家族をホメる

## 「かなわないなあ」

「なんだかんだ言って、たいしたもんだよ」

【解説】長い付き合いの友人が、自分を犠牲にして他人を助けたときから、秀逸なダジャレをくり出したときまで、幅広い状況で使える。頭に「やっぱり○○には」を付けて、首を横に振りつつつくり出そう。

【注意】最上級のホメ言葉なので、乱発は禁物。使い過ぎると、年がら年じゅう、妙な対抗意識を抱いているように聞こえる。

## 「口下手なほうが、人から信頼されるんじゃないかな」

「そのコンプレックス、どうにか払拭(ふっしょく)してあげたい」

【解説】友人や家族が「自分は口下手だから……」などと、長年のコンプレックスを吐露(とろ)しているときに。コンプレックスを逆手に取って、その特徴の利点にスポットを当てることで、元気づけてあげたい。

【応用】「優柔不断だから……」に対しては「慎重なのはいいことだよ」とするなど、どんなコンプレックスも必ず「プラスの個性」に変換できる。

## 「お義父(とう)さんとお義母(かあ)さんのような夫婦を目指します」

「こんなことを言える私って、かなりいい嫁だよね」

【解説】結婚直後やそれほど時間が経っていないタイミングで、義父母に向かって。義父母だけでなく育てられた夫もホメていることになるので、夫がいる状況で言いたい。3人とも、間違いなく深く喜ぶ。

【補足】けっしてお手本になるような夫婦じゃなくても、当人たちは「そんなふうに見えるのかな」と、都合よく解釈してくれる。

ポイント3

★「親しき仲にもホメ言葉あり」でいこう
★コンプレックスは効果的なホメポイント
★遠慮せず積極的に自分で自分をホメよう

## 「こんなにいい子（たち）に育ったのは君のおかげだよ」

「ぼくも多少は貢献したはずだけど、ここは花を持たせるか」

【解説】寝ている子どもの横で、妻（夫）に向かって。何年かに一度はこう言って妻への感謝や称賛を伝えるのが、夫の務めである。どのぐらい子育てに協力したかとかはまた別の話で、ここでは関係ない。

【補足】客観的判断においての「いい子」かどうかは問題ではない。親にとってはどの子も大切な「いい子」であり、親にはそう思う権利と義務がある。

## 「父さんは、がんばったオマエを誇りに思うよ」

「不合格だったのは残念だけど、まだ先は長いよ」

【解説】志望校に合格できなかった我が子に。結果が出なかったときは、過程をホメることで元気づけたい。「がんばったことに価値があるよ」という言い方も可。仮に、そんなにがんばってなくても使える。

【注意】親まで落ち込んでしまうのは、親としてあまりにも未熟。まして責めるのは論外。ここは全力でホメる以外の選択肢はない。

## 「ぼくたち（私たち）も、それなりにがんばってきたよね」

「誰もホメてくれないから、自分でホメてあげようよ」

【解説】長年連れ添った夫婦で飲んでいるときに。過去に何があり今がどんな状況だったとしても、「がんばってきた」のは間違いない。夫婦まとめて自画自賛してしまうことで、お互い相手への愛情も深まる。

【応用】夫婦は一例で、個人的に自分で自分をホメることも大切。人生を肯定することで、胸を張って前に進んでいく力が得られる。

# さまざまな人をホメる

## 「竹下通りを歩いたら2メートルごとにスカウトされそうだね」

「かわいい娘さんで、親としては心配が絶えないね」

【解説】知り合いや友人の10代の娘さんに会ったときに。「アイドル＝竹下通りでスカウトされる」という少し古くさい前提が、冗談っぽさを醸し出している。他人の子は、あの手この手でどんどんホメよう。

【発展】10代の息子の場合は「親戚がジャニーズ事務所に応募したら即アイドルだね」「世界を変える仕事をしそうな顔をしてるね」など。

## 「いろいろ工夫してくれて、いい先生だね」

「担任の先生を安易に悪く言うようなバカ親にはなるまい」

【解説】我が子が「今日、学校の授業でこういうことをした」と話してくれたときに。アラを探して担任批判をするのは簡単だが、子どもが先生を見下して話を聞かなくなるなど、百害あって一利なしである。

【補足】深刻な問題がある場合は、戦わざるを得ない。そうじゃない限り、多少のことには目をつぶって応援するのが、親の覚悟である。

## 「なんでこんなにすごい料理を作れるんですか」

「ひと言で答えられないことはわかってますけど」

【解説】何度か行った高めの飲食店で、料理を作った人に。ただ「おいしい」と言うよりもインパクトがある。そもそも回答は求めていないので、「いやあ」とお茶を濁されても、さらに問い詰めてはいけない。

【応用】和服姿の人に「なんでこんなに素敵に着こなせるんですか」、カラオケ自慢の人に「なんでそんなに上手に歌えるんですか」など。

ポイント3
★他人の子は性別年代にかかわらずホメよう
★答えようがない質問もホメ言葉になる
★仕事や出身地は根拠なくホメても大丈夫

## 「今日は人生の大きな転換点になりそうです」

「タメになるお話を聞かせていただきました」

【解説】講演会やセミナーで講師に。終わったあとでつかまえて、お礼とともに伝えてもいいし、質問タイムでこう切り出せば、ほかの聴衆から「おぬし、デキるな」という視線を受けることができる。

【類語】「蒙を啓かれました」「拝聴できてよかったです」「これからの人生の指標となる貴重なお話をありがとうございました」

## 「大切（or たいへん）なお仕事ですよね」

「どういう仕事かよくわからないけど、まあとりあえず」

【解説】パーティや飲み会、居酒屋などで知り合った人と、「お仕事は何を？」という話になったときに。誰しも自分の仕事が「大切」で「たいへん」という自負があるので、悪い気はしないし話も広がる。

【類語】住んでいる場所や出身地を聞いたときには「いいところですよね」、出身校を聞いたときには「いい学校ですよね」で。

# さまざまなモノをホメる

## 「好きな人にはたまらない味ですね」

「うわっ、なんだこのヘンな味！」

【解説】地方の名産品や郷土料理が口に合わなかったときに。ウソにならないギリギリのラインで、かろうじてホメている。もちろん、自分にウソをついて「おいしい！」と称賛するのも、それはそれで大人の心意気。

【注意】それが好きな人もいるわけなので、けっして「マズイ」のではなく、自分にはおいしさがわからないだけだと謙虚に受け止めたい。

## 「あんなに便利なものとは知りませんでした。毎日使ってます」

「たしかに重宝はしてるけど『毎日』はオーバーかな」

【解説】結婚祝いや新築祝いで家電製品をもらったときに。モノをホメつつ、贈った相手のセンスもホメている。ホットプレートなど絶対に毎日は使わないアイテムの場合も、こう言ってとくに問題はない。

【発展】食べ物の場合は「食べた日の夜に夢に出てきました」「○○（食材名）観が変わりました」「さすが、おいしいものをよくご存じですね」など。

## 「素人目にも並々ならぬオーラを感じます」

「何がどういいのか、さっぱりわかんない」

【解説】名のありそうな絵画や書を見たときに。絵画や書を趣味で続けている人の作品を見たときにも。「この部分がとくにいいですね」など、具体的にホメようとすると墓穴を掘る可能性が高い。

【類語】「いつまでも見ていたくなりますね」「不思議なエネルギーを放ってますね」「いいものを見たって感じです」「斬新ですね」など漠然と。

ポイント3
★その気で挑めばホメられないものはない
★よさがわからないものは抽象的にホメる
★ペットをホメるときは気持ちを代弁する

## 「音声がクリアですね。そのヘッドセットどこのですか？」

「いわゆるひとつのアイスブレイクってことで」

【解説】オンライン会議で相手がヘッドセットを着けていたときに。普通に聞こえていれば「音声がクリア」とホメておいて差し支えない。背景の本棚や奇抜なバーチャル背景も、ちょうどいいホメポイント。

【補足】「アイスブレイク」とは、本題に入る前の軽い雑談のこと。この手の軽いホメ言葉をくり出すことで、場慣れした印象を演出できる。

## 「親御さんの想いが詰まった素敵なお名前ですね」

「あらら、読みづらい名前付けちゃって」

【解説】知り合いの子どもの名前を聞いたときに。どんな名前でも使えるが、いわゆる「キラキラネーム」っぽい凝った名前のときにはとくに効果的。名前と親と子ども、全部まとめてホメることができる。

【応用】名刺交換をした相手が珍しい名前で、その意味を聞いた場面でもくり出したい。相手との距離が一気に縮まるはず。

## 「猫ちゃんが『この家で飼われて嬉しい』って言ってますよ」

「いや、猫がそんなこと言うわけないけどさ」

【解説】知り合いの家に行ったら飼い猫がいたときに。犬はもちろんどんなペットでも使える。「かわいいですね」「よくなついてますね」程度の凡庸(ぼんよう)なホメ言葉では、飼い主を満足させることはできない。

【注意】今や「ペットは家族」が前提。よそのペットをたんに「この犬」「あの猫」などと種で“呼び捨て”にすると、確実にムッとされる。

＋αのワザ

# マイナスがプラスに！ 大人の言い換え

何事も言い方ひとつ。マイナスと思える特徴や出来事も、言い方を変えればあら不思議、たちまちプラスの印象に変身する。便利で美しい大人の言い換えの基本を身に付けよう。

## 印象や性格を言い換える

《印象》「ダサい ➡ 素朴」「ケバい ➡ 華がある」「年寄りくさい ➡ 大人の風格がある」「田舎くさい ➡ ホッとできる」「気取っている ➡ スタイリッシュ」「悪趣味 ➡ 独自の世界を持っている」「存在感が薄い ➡ 雰囲気になじんでいる」

※容姿や身体的な特徴については、そもそも言及しないのが大人の大前提

《性格》「優柔不断 ➡ 慎重派」「ガンコ ➡ 意志が強い」「短気 ➡ 打てば響く」「調子がいい ➡ 切り替えが早い」「暗い ➡ もの静か」「ウルサイ ➡ 華やか」「無神経 ➡ ウソがつけない」「無責任 ➡ 物事に縛られない」「わがまま ➡ 自分を曲げない」「落ち着きがない子 ➡ 活発な子」「小うるさい ➡ 神経が細やか」「ルーズ ➡ 大らか」「おっさんくさい ➡ いぶし銀」「頼りない ➡ やさしい」「小心者 ➡ 慎重」「打たれ弱い ➡ 繊細」「しつこい ➡ 粘り強い」「不器用 ➡ 地道なタイプ」「能天気 ➡ ポジティブ」「無愛想 ➡ クール」「気分屋 ➡ 自分に正直」「無口 ➡ 聞き上手」「おとなしい ➡ 協調性がある」「堅苦しい ➡ きちんとしている」「気が利かない ➡ まわりに影響されない」「態度がデカい ➡ 物怖じしない」「約束を守らない ➡ マイペース」「独りよがり ➡ 自分に自信がある」「自分勝手 ➡ 周囲に流されない」「八方美人 ➡ 他人と壁を作らない」「あわてん坊 ➡ 行動が早い」「浮気者 ➡ 博愛主義者」「スケベ ➡ 情熱的」

## 状態や出来事を言い換える

《状態》「面白くもなんともない ➡ 手堅い」「特徴がない ➡ 奇をてらっていない」「物足りない ➡ 伸びしろがある」「狭い ➡ コンパクト」「わけがわからない ➡ 芸術的」「小汚い ➡ 歴史を感じさせる」「古くさい ➡ 伝統的な」「悪趣味 ➡ 独特のセンス」「仲が悪い ➡ 価値観が合わない」「友人が少ない ➡ 自分をしっかり持っている」「部下にナメられている ➡ 部下との距離が近い」「引きこもり ➡ 未来に向けての準備期間」「貧乏 ➡ お金に頓着しない」

《出来事》「失敗 ➡ いい経験」「失言 ➡ ホンネの発露」「勘違い ➡ 独自の解釈」「失恋 ➡ 新しい出会いに向けての大事なステップ」「失業 ➡ さらに飛躍するための大事なステップ」「離婚 ➡ 未来への一歩を踏み出すための大事なステップ」

PART・5

# 関係が悪くならない
# 怒り方

たとえ気が進まなくても、
大人には怒らなければならない場面があります。
言うべきことを十分に伝えて反省を促しつつ、
相手に無用な反発や恨みを抱かせない——。
そんな巧みな怒り方を駆使しましょう。

# 部下や後輩に怒る

## 「責めるわけじゃないんだけど」

「じつは責めてることに気がついてほしいけど」

【解説】後輩に「水曜日までに」と頼んでいた仕事が、木曜になっても仕上がってこない上、なんの報告もないときに。とりあえず進行状況を知りたいが、ストレートに怒ると正直に言わない可能性がある。

【類語】「怒ってるわけじゃないんだけど」は怒っているときに、「いや、べつにいいんだけど」は実際はよくないときに使われがち。

## 「どうしたんだ、キミらしくないね」

「半端に機嫌をとりながら注意するのは面倒だなー」

【解説】部下が、もしかしてプライベートで何かあったのか、このところ仕事中にボーッとしている様子で、凡ミスも多いときに。注意しつつ、「キミらしくないね」で日頃の評価の高さを匂わせている。

【応用】何が気に入らないのか、注意したらムキになって反論してきたり、酔っ払って延々とグチを言っていたりといった場面でも使える。

## 「若手のお手本にならなきゃいけない立場なんですから」

「トシばっかり食ってて、ホントに使えないなあ」

【解説】日頃から仕事へのヤル気が見えない年上の部下が、またいつものごとく凡ミスをしたときに。いちおう「立場」を尊重しているので、本人はそこに拠り所を見つけてどうにかプライドを保てる。

【補足】このタイプが「お手本」的な存在になれる日は、きっと来ない。しかし、すねると面倒なので、期待しているフリはしておこう。

ポイント3
★人格ではなく行為に対して怒るのが鉄則
★日頃は高く評価していることを伝える
★叱責する内容でもメールでは敬語を貫く

## 「今回は不問に付しますが、二度目はないとお考えください」

「即座にクビでもおかしくないんだからな。感謝しろよ」

【解説】在宅勤務をしている部下が、SNSに会社の機密情報を書いてしまった。重役会議で決まった処分の内容をメールで伝えるときに。どんなシビアな内容でも、メールではていねいな言葉で書くのが鉄則。

【発展】結論だけではなく、会議では厳しい意見も出たと伝えておきたい。自分がかばった場合は、そのことも匂わせて恩を売っておこう。

## 「知らなかったでは済まされないよ」

「知らないことを言い訳にしてないで、ちゃんと仕事しろ」

【解説】大きなミスをした部下が、神妙にしつつも「まったく知りませんでした」と言い訳してきたときに。そもそも仕事においては、ほとんどの場合「知らなかった」では済まされない。

【類語】「うっかりでは通用しないこともあるんだよ」「悪気がなかったでは済まないこともあるんだよ」

# 上司や先輩に怒る

## 「お言葉を返すようですが」

「これから言い返すから、よく聞けよ」

【解説】上司が身に覚えがないミスを注意してきたときや、的外れな意見を言ってきたときに。いきなり反論するよりも、こう前置きして相手に「心の準備」をさせたほうが、ちゃんと聞いてもらえる。

【類語】「人間が練れていなくて申し訳ないのですが」「こういう言い方は大人じゃないかもしれませんが」けっこう怒りが大きい場合に。

## 「私の言い方があいまいで申し訳ありません」

「ちゃんと言ったのに、なんでわかんないかなあ」

【解説】先輩が勘違いにもとづいて、「そんな話、俺は聞いてないぞ！」と勝手に怒っているときに。「ちゃんと言いましたよ！」と反論したら言い争いになってしまう。謝ることで怒るというスタイル。

【類語】「私の理解力が乏しくて申し訳ありません」は、相手が「俺はそんなこと言ってない！」と勝手に怒っているときに。

## 「このサイト、とっても参考になりました」

「こっちも忙しいんだから、
何度も同じこと聞いてくるなよ」

【解説】オンライン会議を行うツールの設定や使い方について、上司から何度も「ここはどうするんだっけ？」とメールなどで聞かれたときに。初心者にもわかりやすそうなサイトのURLを貼りつつ。

【応用】オフィスで先輩や上司から、ちょっと調べればわかるパソコンの使い方を何度も聞かれて、いい加減ウンザリしているときにも。

ポイント3

★「予告」をして相手に心の準備をさせる
★ソフトに言ってもダメなら次の手を打つ
★怒るときには怒らないと関係は保てない

## 「いつもの○○さんに戻ってください」

「このご時勢にセクハラ……出るとこ出ますよ！」

【解説】酒の席で、上司や先輩が下品な冗談を連発したり、身体を触ってきたりした。腹立たしいが「ここでやめれば許してやる」と思っているときに。真顔で「飲み過ぎじゃありませんか」と言いつつ。

【発展】最初の段階で「セクハラですよ！」と抗議しても、もちろんOKである。それで関係が悪くなるような相手なら、それもやむなし。

## 「なるほど、朝令暮改とはこのことですね」

「おいおい、昨日とは言ってることが違うじゃないか」

【解説】上司の指示がコロコロ変わって、それまでの仕事がムダになったときに。そういうクセがある上司には、きっちり釘を刺しておきたい。唐突に四字熟語をくり出すことで、ソフトな響きを演出している。

【類語】「本末転倒とはこのことですね」「まさに羊頭狗肉ですね」「それはさすがに針小棒大ではないでしょうか」

## 「今のお言葉はさすがに腹に据えかねます」

「テメエ、言っていいことと悪いことがあるぞ！」

【解説】人格を否定する言葉や親に対する侮辱など、上司や先輩から「さすがに許せない」という発言があったときに。怒るべきところできっちり怒らずに我慢していると、どんどん関係が悪くなってしまう。

【反応】とにかく相手は激しく怒っている。「怒るようなこと言ったっけ？」と思っても、まずは「申し訳ない、言い過ぎました」と謝ろう。

# 取引先や業者に怒る

## 「ま、こういうことはお互いさまですから」

「今回だけは許してやるけど、二度とやるなよ！」

【解説】取引先のミスで、それなりに迷惑をこうむったときに。「いい関係を保つために許してあげることにしたけど、じつはけっこう怒っている」という真意は、相手にまともな感覚があればちゃんと伝わる。

【反応】うっかりつられて「そうですね」と返すのは最悪。「寛大なご処置に深く感謝いたします」と恐縮しつつ、全力で謝罪しよう。

## 「さすがに承服いたしかねます」

「いくら得意先だからって、無茶を言うにもほどがある」

【解説】いつも偉そうな取引先が、大幅な値引きなど無理な要求を何度もしてきたときに。ていねいな言い方をすることで、ケンカをするつもりはないという姿勢と、その話は断るという強い意志を示している。

【注意】相手も上司の指示で仕方なく言っている可能性もある。笑い話にしようとして「ご冗談ですよね」と言うと、カチンとくるかも。

## 「その部分も、弊社でやったほうがいいでしょうか？」

「それはそっちの仕事だろ。ナメたこと言いやがって」

【解説】取引先が、本来はこっちの仕事ではないことを押し付けてきたときに。疑問を呈するという形を取りつつ、怒りをにじませている。鈍そうな相手には「こっちでやったらマズイんじゃないですか？」で。

【発展】この段階で考え直してくれることを期待したいが、「はい、お願いします」と言われたら、なぜできないかを具体的に説明しよう。

ポイント3

★穏便な言い方で伝わるならそれが何より
★疑問を呈することで怒りを伝える方法も
★敬語を崩さないほうがむしろ迫力が増す

## 「何度もご連絡するのは不本意なんですが」

「さんざん待たせやがって、いいかげんにしろ！」

【解説】納期を過ぎても商品や原稿が届かず、問い合わせても「すぐに送ります」がくり返される“そば屋の出前状態”が続いているときに。「不本意」という言葉で、深い怒りを表現している。

【発展】ソフトに伝える場合は、後半を「〜して申し訳ありませんが」に。激しく怒っている場合は「何度も連絡させないでください！」で。

## 「納得のいくご説明をいただけないでしょうか」

「ふざけるな、今さらどういうことだ！」

【解説】急な条件変更や納期の遅れなど、先方の都合で大きな迷惑を受ける事態が起きたときに。対面でもメールでも使える。あくまで敬語を崩さないのが基本だが、そのほうがむしろ迫力が増す。

【応用】どう説明されても迷惑なことに変わりはないので、怒る姿勢は適当なところで引っ込めて、今できる最善の策を探りたい。

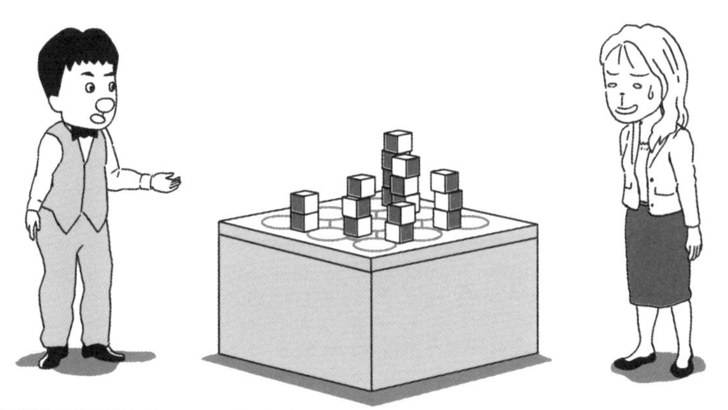

# 友人や恋人に怒る

## 「悪気がなければ何を言っても いいわけじゃないんだよ」

「いくら俺とオマエの仲でも、その言葉は許せない！」

【解説】口の悪い友人が、こちらの趣味について「何が面白いの？」と半笑いで聞いてきたときに。怒りや不満を溜め込んでいきなり爆発する事態を防ぐためにも、折に触れてビシッと言っておきたい。

【類語】「悪意（悪気）がないことはよくわかってるけど、それはさすがに笑えないなあ」毒が強過ぎる冗談を言われたときに。

## 「老婆心ながら言わせてもらうけど」

「さすがに迷惑だから、どうにかしてくれないかな」

【解説】「老婆心」は、過剰に世話を焼きたがる気持ちのこと。老いた女性以外が使っても問題ない。友人の振る舞いや言動で迷惑を受けているときに。「余計な忠告」というテイで、怒りの気配を薄めている。

【応用】怒ってはいないけど、友人の言動がさすがに目に余るときにも使える。ただ、素直に聞き入れてくれる可能性は高くはない。

## 「バカも休み休み言ってくれよ」

「オマエが何をしても勝手だけど、こっちを巻き込むな」

【解説】仕事を次々に替えている友人が、「こういう商売をいっしょにやらないか」とアヤしげな話を持ちかけてきたときに。あえて懐かしい響きの言葉を使うことで、たしなめたい気持ちを強く表明している。

【余談】昔、ポテトチップスのCMで、このセリフを言われた女性が「バカ…………バカ…………バカ…………」と休み休み言うシーンがあった。

ポイント3

★怒りを溜めていきなり爆発するのは最悪
★戸惑いを伝えることで怒りの気配を示す
★「売り言葉に買い言葉」には注意しよう

## 「見間違いかと思って目をこすってしまいました」

「まさか、君からそんなことを言われるなんて……」

【解説】恋人からのメールやLINEに、激しい非難や罵倒が書かれていたときに。完全に誤解にもとづいている場合はもちろん、多少は思い当たる節がある場合も、こう書くことで怒りを示して時間を稼ぎたい。

【応用】愛の告白など嬉しい内容のときにも使える。その際は「5度見して、そのあと声に出して読んでいます」ぐらいあえて大げさに書きたい。

## 「もう少しでスマホを壁に投げつけるところでした」

「自分を抑えられないぐらい激しく怒っています」

【解説】ケンカしている恋人から「それはないだろ」「ふざけないで」と言いたくなるLINEが届いたときに。怒りを伝えて少し落ち着いたところで、話し合うなり時間を置くなり、よりよい方法を考えたい。

【反応】実際に投げつけたら困るのは相手だが、「投げつければよかったのに」と返すと、間違いなく事態はさらに悪化する。

## 「それを言っちゃあ、おしまいよ」

「あなたのその言葉に、かなり腹を立てている」

【解説】「ニートのくせに」など、「それは言いっこなしでしょ」という言葉を言われたときに。映画「男はつらいよ」シリーズで、主人公の寅さんが発していたセリフ。冗談っぽさが緩衝材(かんしょうざい)になってくれる。

【発展】頭に「おい、さくら！」「おいちゃん！」などと付けるのも一興。ただ、世代や映画の趣味によっては、まったく通じない可能性も。

# 家族や親戚に怒る

## 「いくら親子（夫婦）でも、言っていいことと悪いことがあるよ」

「アンタって昔からそうだよね。あー、やだやだ」

【解説】ロゲンカがエスカレートして、相手がけっこうな暴言を吐いたときに。そして、いくら親子や夫婦でも、容赦なく相手を罵倒するのはタブー。こう言って怒りを表明しつつ、気持ちを落ち着かせよう。

【応用】親戚に対して「いくら身内でも～」や、近所の人に対して「いくら○○さんでも～」など、いろんな相手に幅広く使える。

## 「心配してくれるのは嬉しいけど、もっと信用してほしいな」

「干渉し過ぎなんだよ。いい加減に子離れすれば」

【解説】こっちはとっくに成人しているのに、母親（父親）がこまごましたことに口を出してきてうっとうしいときに。たぶん簡単にはやめてくれないが、自分自身に「親離れしろ」と言い聞かせる意味もある。

【注意】「ウルサイなあ、ほっといてくれよ！」と感情的に反発するのは、まだまだ甘えている証拠。大人として冷静に怒りを伝えたい。

## 「生意気はさておきとして、きちんと説明してください」

「年長者だからって、威張ってんじゃないよ！」

【解説】相続問題で親戚同士の意見が対立している。話し合いの場で意見を言ったら、長老的なおじさんが「若いのに生意気だ！」と一喝してきたときに。ここでシュンとなってしまったら、話が前に進まない。

【発展】渋々考えを話してくれたら、とりあえず「やっぱりおじさんは話せますね」ぐらいのことを言っておく。反論はそのあとで。

ポイント3

★親子や夫婦でも怒り方には節度が必要
★対立しているときは自分にも非がある
★「わかってくれない」と怒るのは不毛

## 「いったん気持ちを落ち着けて、また連絡します」

「どんどん腹が立ってきて、ひどいこと言っちゃいそう」

【解説】親子やきょうだいとのLINEで、激しい言い争いになったときに。身内だと遠慮がない分、やり取りがエスカレートしがち。いったん引くのは賢明な選択だが、怒っていることはしっかり伝えている。

【注意】インターバルは、相手をどう罵倒して自分をどう正当化するかではなく、「自分に反省すべき点はないか」を考えるために使いたい。

## 「ちゃんと言っておかなかった俺（私）が悪かったのかな……」

「夫婦なんだから言わなくてもわかってよ」

【解説】ちょっとした片付けや買い物など、自分としては「やってくれて当然」と思えることが実行されていなかったときに。ストレートに文句を言うと確実にケンカになるので、反省するフリをして責める。

【注意】たとえ夫婦でも、言葉にしないと伝わらないことは多い。お互いの勝手な期待をぶつけ合うのは、不毛かつ危険である。

# さまざまな場面で怒る

## 「さっきから、お話がずいぶん弾んでらっしゃいますね」

「ウルサイんだよ、ここをどこだと思ってるんだ！」

【解説】病院の待合室で顔見知りらしきグループが、大きな声で延々と話しているときに。ストレートに「ウルサイ！」と怒ると、面倒な反発を受けるし、自分の心の中も余計にざわついて不愉快度が増す。

【応用】静かなバーでウルサイ客にも使える。ただ、相手が異性だとナンパと間違われたりもするので、マスターに任せたほうがいいかも。

## 「もしかして本社にご連絡したほうがよかったですか？」

「いつになったら修理に来てくれるんだよ！」

【解説】設備機器の調子が悪く、買ったお店に連絡したが、なんだかんだ言ってぜんぜん修理に来てくれないときに。「どうなってんだ、ふざけるな！」と怒鳴るよりも効果的だし、腹立ちもやや小さくて済む。

【応用】業種を問わず、本社と支店がある相手の場合、イザとなったらこの手で。もちろん、相手に誠意やヤル気が見られないときに限る。

## 「これ以上の質問はマネージャーを通してもらわないと」

「初対面のオマエに、そこまで聞かれる筋合いはない！」

【解説】合コンの場で相手の男性が、根掘り葉掘りプライベートなことを質問してきたときに。冗談にまぶしながら「いいかげんにしろ」という怒りをにじませている。最後に「なんてね」とつけるもよし。

【補足】露骨に怒って雰囲気を壊す展開は避けたい。この言い方でも相手はムッとするだろうが、そもそも対象外なので平気の平左である。

ポイント3

★ストレートに怒ると余計に不愉快になる
★ストレートに怒ると周囲も不愉快になる
★どんなときも大人の矜持を持ち続けたい

## 「すいません。あなたのハイヒールの下に私の足があるようです」

「痛い痛い痛い！　踏んでる踏んでる踏んでる！」

【解説】満員電車の中で、ハイヒールを履いた女性に足を踏まれたときに。極限状態の中でここまで言うのは容易ではないが、とっさにこう口にできたら「大人な自分」に深い満足感を覚えることができる。

【補足】ただし、痛みがやわらぐわけではない。そして、相手の女性が「まあ、素敵な殿方」とウットリしてくれる可能性……は残念ながらない。

## 「失礼ですが、列の最後はあちらですよ」

「たしかに離れて並んでるけど、よく見ろよ」

【解説】スーパーのレジで、足元のテープに従って距離を取って並んでいた。次は自分というところで、横から来た人が気づかず割り込んできたときに。穏やかに注意することで、怒りを最小限に抑えられる。

【発展】すんなり後ろに行ってくれればいいが、逆恨みでニラまれたり舌打ちされたりしたときは、声に出して「おやおや」と呆れよう。

## 「匿名で電柱の陰から石を投げるのは楽しそうですね」

「満たされない毎日なんだろうけど、あー、うっとうしい」

【解説】SNSでの呟きが、誤読されて炎上したときに。放置しておけば数日で沈静化するが、このぐらいの皮肉をかましておくのも一興。ふくらんだ怒りのガス抜きにもなる。ただし、相手には響かないが。

【注意】「説明すればわかってくれるはず」は、大きな勘違い。燃やしている側は誰かを攻撃することが目的で、話を聞く気はカケラもない。

＋αのワザ

# 「怒り」と上手に付き合う5つの極意

「怒り」の感情は、極めてやっかい。勝手にふくらんだり、いつのまにか暴走したり……。
なるべく平穏な日々を過ごすために、「怒り」との上手な付き合い方を会得しよう。

**極意その1**

## まずは「怒り」の原因を探ってみよう

➡「怒り」は、なるべく抱かないに越したことはない。そのために有効なのが、怒りの原因を探ってみること。相手に非があるとは限らず、たんに自分の虫の居所が悪いだけだったり、自信のなさや妬みが根底にあったりというのは、非常によくある話である。

**極意その2**

## とにかく我慢するのが正解とは限らない

➡実際問題、大人はそう簡単に怒るわけにはいかない。しかし、怒ることを我慢している理由を冷静に考えると、我慢のつらさと引き換えにするほどでもないケースも多々ある。時には「ここは怒ったほうがいい」という決断を下して、自分をちゃんと守ろう。

**極意その3**

## なんのために怒るのかを自覚しておきたい

➡せっかく怒るなら、自分はなんのために怒っているのかを自覚しておきたい。使えない先輩の行動を変えたいのか、失礼な相手にひと泡吹かせたいのか。目的を見据えることで有効な怒り方ができる。目的が見えてこない場合は、ただのイチャモンなのかも。

**極意その4**

## 「怒る」という甘い誘惑を振り切るべし

➡「怒り」を抱くことには、魅惑的な効能がいっぱい。政府や政治に対して怒れば自動的に「意識が高い良識的な人」になれるし、上司など身近な相手に腹を立てれば自分の至らなさから目をそらすことができる。その手の甘い誘惑にはくれぐれも気をつけよう。

**極意その5**

## 目指したいのは「引き分け」という境地

➡怒ることで大人が目指したいのは、あくまで「引き分け」の境地。相手を叩きのめしたら確実に逆恨みされるし、そもそも自分に落ち度がまったくないとは限らない。ムカムカイライラさせられている「負け」の状態から、とりあえず脱却できれば十分である。

PART・6

ホッとさせる

# 承諾

仕事の頼みごとにせよ遊びの誘いにせよ、
持ちかける側は不安でいっぱいです。
承諾を得た喜びを十分に感じてもらいつつ、
こちらの大人っぷりも見せつける——。
そんな承諾でお互い幸せになりましょう。

# 仕事関係の頼まれごとを承諾する

## 「承知いたしました」

「はいはい、やればいいんでしょ」

【解説】メールで承諾の意志を伝えるときの基本フレーズ。「目上の人に『了解いたしました』は失礼」と信じ込んでいる人もいるが、本来はそんなことはない。ただ、勘違いを元にムッとされるリスクはある。

【類語】「かしこまりました」対面の場合に。ただ、それこそ過剰にかしこまった印象を与えるという一面もあるので、乱用は禁物。

## 「ウチ（私）にやらせてもらえるなんて、光栄です」

「まあ、ウチ（自分）がやるのは当然だけど」

【解説】大きめの案件や難しそうな案件を発注されたときに。発注する側は、内心「どうだ、嬉しいだろ。ありがたく思えよ」ぐらいの気持ちでいるので、素っ気ない反応だと不満を覚える。

【応用】「やってもらえるかな」と遠慮がちに依頼されたときほど、「もちろん、喜んでやらせていただきます」と前のめりに承諾したい。

## 「ご相伴にあずかります」

「面倒だけど誘われちゃったら行かないわけには……」

【解説】目上の人に食事を伴う会合に誘われたときに。「便乗してごちそうになります」というニュアンスで、誘ってくれた相手を立てることができる。「あずかる」の漢字は「預かる」ではなく「与る」。

【類語】「お供いたします」得意先への訪問や出張など、食事がメインの目的ではない場合に。

ポイント3
★本心はともかく前向きな姿勢を見せよう
★頼んできた側の気持ちにも思いを馳せる
★あえて不満を示したほうがいい場合も

## 「ウグッ！ は、はい、やらせていただきます」

「いつも無理難題ばっかり押し付けやがって」

【解説】ビジネスにおける頼まれごとは、なるべく快く承諾するのが大原則。しかし、相手がこっちをナメて調子に乗っていると感じた場合は、不満そうな気配を見せてけん制しておくことも大切である。

【発展】本気で事態を変えたい場合は、言葉にして伝えよう。態度で察してもらおうとするのは、雰囲気が悪くなるだけで相手からするとけっこう迷惑。

## 「○○さんとお仕事できるなんて、こんな嬉しいことはありません」

「当然、いろいろ配慮してくれるんだよね」

【解説】仕事にせよプライベートにせよ、頼まれごとをされて断る気がないときは、即座に気持ちよくOKするのが大人の基本。ムダにもったいぶったり渋ったりしたところで、いいことは何もない。

【類語】「この仕事、前からやってみたいと思ってたんです」

# 日常での頼まれごとを承諾する

## 「おやすい御用です」

「そんなに恐縮しなくていいよ」

【解説】どんなに親しい間柄でも、たとえ簡単なことでも、頼みごとをする側は不安を抱いているもの。メールでも対面でも、日頃からこうした気持ちのいい承諾ができる人は、それだけで評価が上がる。

【応用】目上の人からの面倒で手間のかかる頼みごとには、あえて軽い調子でこう返したい。確実に「頼りになるヤツ」と思ってもらえる。

## 「りょ！」

「全部打つのは面倒だから、省略してこれで」

【解説】「了解」の略。おもにLINEで使われる。10年ほど前から、女子高生を中心に広まっている言い回し。一過性の流行語かと思われたが、利便性の高さからか、定番の言い回しとして定着している。

【注意】けっこういい歳の男性（いわゆるオジサン）が使う場合、「あくまでシャレ」という気配を強調しないと痛々しいことになる。

## 「いいねえー、朝から食べたいと思ってたんだ」

「とくに食べたいものとかないし、なんでもいいよ」

【解説】誰かとランチや、あるいは夕食に何を食べるかという話になり、相手が「中華はどう？」などと具体的な提案をしてくれたときに。ちょっとウソくさく言うことで、お茶目さと気づかいを表現できる。

【類語】「まさに今日は、絶好の○○日和だよね」（もちろん、根拠は必要ない）

ポイント3

★親しい間柄でも頼みごとをする側は不安
★礼儀正しく承諾することで怒りを抑える
★断りづらさにつけこむと信頼をなくす

## 「あっ、失礼いたしました」

「ボーッとしてたこっちも悪いけど、
その言い方はどうなの」

【解説】電車内や混んだ店内で、キツイ口調で「すいません！」と移動を促されたときに。あくまで礼儀正しく返すことで、精神的に優位に立つことができて、ムダに不愉快になるのを防ぐことができる。

【発展】穏やかに言われたときも、このフレーズや、あるいは「おっと、これは気がつきませんで」と返して、大人っぷりを示したい。

## 「いいに決まってるじゃない」

「ちょっと面倒だけど、そう言われたら仕方ないか」

【解説】友人から、遠慮がちに「今度の日曜日、荷物を運ぶのを手伝ってもらっていいかな」などと言われたときに。都合が悪い場合も、一度こう言ってから「あっ、そうだ」と理由を説明して断る手法も。

【類語】「がってん承知の助！」「OK牧場！」（レトロな言い回しを勢いよく使うことで、ちょっと面倒と感じている気配を消せる）

## 「○○さんに頼まれたら、イヤとは言えないよね」

「この程度のことならいいけど、
無茶は言ってこないでね」

【解説】長い付き合いの相手から、自分にできる範囲のことを頼まれたときに。頼む側としては、相手の断りづらさにつけこんで無理な頼みごとをするのは禁物。それをやると、一気に信頼関係が崩れる。

【類語】「ほかならぬ○○社さんからのお話ですから」（ビジネスの場面で）

# さまざまな依頼や誘いを承諾する

## 「不束者(ふつつかもの)ですが、よろしくお願いいたします」

「不束者はお互いさまだけど、
仲良くやっていきましょう」

【解説】プロポーズをOKするときに。ちょっとアナクロな響きが、テレくささや緊張感をやわらげてくれる。もともとは女性のセリフだったが、もちろん男性が言ってもいい。

【応用】式場を決めたときや婚姻届けを提出したときなど、結婚の「節目」の場面で、あらたまってお互いに言い合うのも一興。

## 「もー、誰にでもそんなこと言ってるんでしょ」

「私もすでにその気だけど、もうひと押ししてほしいな」

【解説】デートで男性側が勝負の体勢に入って、直接的なアプローチの言葉を投げかけてきたときに。ややわかりづらいが、「もうしばらくいい気分にさせてくれたらOKよ」という承諾の言葉である可能性が高い。

【注意】いい女気分を味わいたいからといって、その気もないのに使うのは控えたい。いかにもカタブツなタイプの男に使うのも不適切。

## 「ウチもけっして余裕があるわけじゃないけど」

「この金額なら貸せるけど、何度も言ってこないでね」

【解説】きょうだいや親しい友人に借金を申し込まれたときに。こう言ってけん制したあと、「ウチに相談してくるのは、きっとよっぽどのことだろうから」と言いつつOKして、ありがたみを増幅させる。

【注意】お金を貸すときは「返済を期待せず、あげるつもりで貸す」のが前提。とはいえ、「できれば返してほしい」のは大前提。

ポイント3
★お約束のセリフが場をなごませてくれる
★承諾の意の言葉を不用意に使うのは危険
★渋々な態度を示すことで予防線を張る

## 「ほかにやる方がいないようでしたら」

「本当はやりたくないけど、しょうがないよね」

【解説】学校や地域の役員など、誰かがやる必要がある役を頼まれたときに。同窓会の幹事など、じつはやってもいいけど、前のめりになり過ぎると「出しゃばり」な印象を与えかねないときにも使える。

【反応】「申し訳ありません。助かります！」内心では「コイツ、本当はやりたいくせに」と思ったとしても、全力で恐縮しつつ。

## 「私でお役に立てることでしたら」

「この件は引き受けるけど、
なんでもやるわけじゃないからね」

【解説】同様に、学校や地域の役員を頼まれて、状況としては引き受ける以外の選択肢がないときに。謙虚な態度はいい印象を与えるためであると同時に、なんでもかんでも頼まれないための予防線でもある。

【反応】「よかった！　○○さんにやっていただけたら安心です」

＋αのワザ

# あらためて押さえたい「メール」の基本

昨今はさまざまな通信手段が便利に活用されている。しかしビジネスシーンにおいては、
メールはまだまだ重要。今こそあらためて、使い方の基本を押さえておこう。

## 「この人、デキるな！」と相手を唸らせるメールの特徴５例

### 《その１》➡ 天気の話題など用件以外の一文が入っている

「お世話になっております」のあとに「今日は一段と冷えますね」といった
一文を入れることで、相手との距離が縮まったり、
余裕のある仕事ぶりを漂わせたりできる。

### 《その２》➡ タイトルを見ただけで中身がだいたいわかる

たんに「こんにちは」や「ご無沙汰してます」や、
あるいは「○○です」という自分の名前だけより、どんな内容のメールなのか
開く前に推測できたほうが親切である。

### 《その３》➡「大人な前置き」が効果的に活用されている

〈「下手の考え休むに似たり」と言いますが〉〈「理屈と膏薬（こうやく）はどこにでも付く」とは
よく言ったもので〉といった古風な前置きで、教養とセンスを感じさせよう。

### 《その４》➡「敬称」を使い分けて距離感を調整している

「○○様」「○○さま」「○○さん」、あるいは「○○大明神」「○○大先生」などなど。
どういう相手にどういう状況でどんな敬称を付けるかについては、常に敏感でいたい。

### 《その５》➡ レスが早い＆書かれている内容がわかりやすい

メールでいちばん大事なのは、何はさておきこのふたつ。
返信に時間がかかったときには「返信が遅くなってすいません」のひと言を。
ダラダラとムダに長いメールも迷惑。

## 「この人、大丈夫かな？」と不安を覚えさせるメールの特徴５例

《その１》➡ とくに理由もなくレスが遅い、こっちが聞いていることに答えていない

《その２》➡ 同じ話なのに、いちいちタイトルを変えて過去のやり取りを削除している

《その３》➡ 次の話に替わっているのに、タイトルが同じで過去のやり取りもそのまま

《その４》➡ 自分の名前が省略されている、必要な状況なのに住所や社名の記載がない

《その５》➡ 誤字やタイプミスがいくつもある、一読しただけでは文意がわからない

PART・7

# 距離が縮まる 同意

本心からにせよ、うわべだけにせよ、
同意の仕方で印象は大きく変わります。
相手をそれなりに満足させつつ、
やっかいごとにはウカツに巻き込まれない——。
そんな絶妙な同意で自分を守りましょう。

# 仕事関係の相手に同意する

## 「おっしゃるとおりです」

「完全に同意ではないけど、
だいたいそういうことかな」

【解説】目上の人と会話するときの相づちとして、便利に多用されている。こう言って相手を立てた上で、その内容を修正したり反論したりすることも多い。目下に使うと、皮肉や冷やかしの意味になる。

【類語】「ごもっともです」「仰せのとおりです」など、相手の地位や性格、話の内容によって巧みに使い分けたい。

## 「なるほど、そういう考え方もありますね」

「また、ピントのズレたことを言い出しやがって」

【解説】会議の場で上司や先輩が、ぜんぜん的外れな反論や提案をしてきたときに。とりあえず同意することで相手を満足させるのが、その案を適当に流したり結果的に却下したりするための第一歩。

【類語】「もしかしたら、それもアリかもね」手ばなしで同意している場合は、こんなもって回った言い方をする必要はない。

## 「困ったもんだよね」

「気の毒だけど、こっちとしては
なんの力にもなれないかな」

【解説】同僚が、上司や取引先にひどい目に遭ったという話をしてきたときに。相手も助けてほしいわけではなく、話を聞いてほしいだけのことが多いので、同意を示して気持ちを楽にしてあげたい。

【注意】「それは自業自得なんじゃないの」と思えるケースもあるが、指摘しても面倒なだけなので、とりあえずこう言っておくのが無難。

ポイント3
★同意を示し合うことが会話を転がす鉄則
★反論したいときこそ、ひとまず同意する
★「同意していない同意」で自分を守ろう

## 「私もその意見にアグリーです」

「こんな言葉を使いこなせる俺って、イカしてるだろ」

【解説】「賛成（agree）です」という意味。カタカナ語好きな業界やそういうメンバーばかりの場で使うと、仲間意識を持ってもらえる。反対のときは「ディスアグリーです」ではなく「アグリーできません」。

【注意】一部の特殊な世界以外で使うと、「なにカッコつけてんだ」「オマエは意識高い系か」と白い目で見られる。あるいは鼻で笑われる。

## 「いやあ、なかなか面白い人だよね」

「たしかに自分も、めんどくさい人だと思う」

【解説】同僚や先輩がほかの同僚の悪口を言い出して、「オマエもそう思うだろ」と同意を求められたときに。いちおう話を合わせつつも、いっしょに悪口を言い合う図式になることを巧みに避けている。

【注意】たとえ同じ意見でも、悪口を振られて素直に悪口で受けてしまうと、いつのまにかこっちが言い出したことにされがち。

# 友人や恋人や家族に同意する

## 「ホントホント」

「とくにその話に興味はないけど、
まあ聞いてあげるよ」

【解説】友人や家族が、どうでもいい意見やグチを言っているときに。「わかるわかる」「なるほどね」「そういうことって、あるよね」などのフレーズを併用することで、興味のなさを手堅くごまかせる。

【反応】おざなりなリアクションだが、「ちゃんと聞いてよ」と怒るのは筋違い。そもそも、ちゃんと聞いてもらえるほどの話ではない。

## 「もし私がその場にいたら、やっぱり同じこと言ってると思う」

「もし自分だったら、そこまでは言わないかな」

【解説】友人が「上司に反論した」「夫婦ゲンカで言い返した」といった話を興奮気味にしているときに。相手は自分の勇気をホメてほしくて言っているので、同意していい気持ちにしてあげたい。

【注意】仮に首をかしげるような発言だったとしても、しょせんは本人の問題なので、わざわざ疑問を呈する必要はない。

## 「うわー、それは悔しいね」

「でもまあ、こっちには関係ない話だけど」

【解説】友人や恋人が、競馬で大穴を取り損なったとか、昇進で同期に先を越されたといった話をして悔しがっているときに。いちおう相手の気持ちに寄り添ってはいるが、しょせんはうわべだけである。

【類語】「うわー、それは嬉しいね」「うわー、それは災難だったね」「うわー、それは腹立つね」

ポイント3
★とりあえずの同意は人間関係の潤滑油
★同意には「やさしさ」が詰まっている
★同意しないことが同意になるケースも

## 「いっしょいっしょ、俺（ウチ）もそうだよ」

「俺はちょっと違うけど、
ま、いっしょってことでいいか」

【解説】友人から職場の人間関係の悩みや、思春期の娘が自分に冷たいといったグチを聞かされたときに。なんの力にもなれないので、とりあえず「自分だけじゃない」と思うことで気を楽にしてもらおう。

【類語】「いずこも同じ秋の夕暮れだね」昭和の慣用句。詩的な気配が漂うが、同時に古くささも漂う。

## 「天網恢恢疎にして漏らさずだね」

（てんもうかいかいそ）

「この言葉、一度使ってみたかったんだよね。
書けないけど」

【解説】「天の張る網は目が粗いようだけど、悪人を網の目から漏らすことはない（悪事を行えば必ず捕まる）」という意味。有名人が捕まったり不倫がバレたりというゴシップネタを話しているときに。

【発展】「悪いことはできないもんだね」と同じ意味だが、わざわざこの言葉を使うことで、高尚な話をしている気になれる。

## 「えー、わかんない」

「もー、いちいち恥ずかしいこと言わせないでよ」

【解説】十分に信頼関係ができている恋人同士で、男性側が「未知の領域」を開拓する提案をしたときに。「いい？」と聞かれて、こう答えれば同意の意図は伝わる。「えー、知らない」も同じ意味。

【注意】昨今、この手の言い方を女性に期待する姿勢は、批判を受けかねない。とはいえ、明確に表現すると、一気に“趣”がなくなる。

# さまざまな場面で同意する

## 「へえー、いろんな考え方があるんですね」

「おいおい、アヤシイ話をすっかり信じ込んじゃって」

【解説】義父やパパ友などが、いわゆる「陰謀論」や極端に偏(かたよ)った歴史認識を熱く語り始めたときに。反論したり矛盾を突いたりしても楽しい展開は絶対にならないので、微妙に同意しつつ適当にあしらいたい。

【発展】「ねっ、ヘンだと思わない？」と賛否の表明を求められたときは、「いやあ、私には難しくてよくわかりませんね」とかわす。

## 「はい、お願いします」

「なんでそんなヘンな敬語を使うかなあ」

【解説】ファミレスで「○○でよろしかったでしょうか」とオーダーを確認されたときに。「はい」だけでも問題ないが、あえてていねいにこう返すことで、「感じのいい客」になった気持ちよさを味わえる。

【注意】「はい、よろしかったです」と返すと、釣られてうっかりだったとしても、一気に「感じの悪い客」になってしまう。

## 「ほんこれ」

「いいこと（うまいこと）言うじゃない」

【解説】おもにSNSのリプライやコメントで、「ホント、まさしくこれだよね」と深く同意している気持ちを表現したいときに。４文字で言い切ることで、なんとなくちょっと偉そうな気持ちになれる。

【類語】「ほんそれ」「禿同（激しく同意）」「せやな」「それな」いずれもオジサン世代が得意気に使うと、無理している感じが漂ってしまう。

ポイント3
★面倒な話は同意しながら適当にあしらう
★ネットスラングを得意気に使うのは危険
★葬儀ではとにかく同意することが肝心

## 「ご心痛、お察しいたします」

「まさかあの人が……。どう言っていいか難しいなあ」

【解説】メールや電話で、身内を亡くした遺族から訃報を受けたときに。葬儀や通夜で憔悴した遺族に会ったときにも。余計なことを言わずに、短くこう言って「つらいよね」という共感を示す。

【応用】人の生き死にだけでなく、会社に税務調査が入ったなど「本人はさぞ落ち込んでいるだろう」と想像できる知らせ全般に対して使える。

## 「まったく、いい人ほど早く亡くなりますね」

「どういう人だったか、よく知らないけど」

【解説】義理で出席した通夜で、居合わせた人に「惜しい人を亡くしましたね」と話しかけられたときに。正直に「故人のこと、よく知らないんですよ」と告白する必要はない。たぶん相手も同様である。

【応用】年齢的に「早く」とも言えない場合には、「まだまだ活躍していただきたかったですね」「いやホント、寂しいですね」など。

同意

＋αのワザ

# 「相づち力」がアップする５つのコツ

会話の中で地味に重要な役割を果たしているのが、相手の言葉への「相づち」である。
その極意を知り多彩なボキャブラリーをマスターして、「相づち力」をアップしよう。

## 「いい相づち」が打てるようになる５つのコツ

### 《その１》➡ 同じ相づちをくり返さず、変化を付ける

「なるほど」「なるほど」と、同じ相づちをくり返していると、ちゃんと聞いていない印象を与える。「なるほど」「たしかにそうですね」「あー、そっか」など、変化を心がけよう。

### 《その２》➡ 相手に向き合って、首の動きも忘れずに

身体を横に向けたままだと、いくら相づちを打っていても、相手は無視されているように感じる。きちんと向き合って、適度に目を見つつ、首を縦や横に動かしながらで。

### 《その３》➡ 会話のリズムを意識してタイミングよく

相づちは、会話のペースメーカーでもある。相手がさらに気持ちよく話せるように、適度な区切りやメリハリを付ける――。そんなリズミカルな相づちが双方に幸せをもたらす。

### 《その４》➡ 先回りした相づちは万死に値する重罪

気持ちが前のめりになり過ぎて、「それ、聞いたことあります」「あ、知ってます」といった、先回りした相づちを打つのは厳禁。話の腰を折るのは、大人にとって重罪である。

### 《その５》➡ 過ぎたる相づちは猶(なお)及ばざるが如(ごと)し

たいした話でもないのに、目を丸くして「ドヒャー！」などと大げさな相づちを打つと、相手は逆に鼻じらむ。派手に手を叩くなどのオーバーアクションにも気をつけよう。

## 大人を上げる！ 相づちのボキャブラリー

《同 意》「いかにも」「ごもっとも」「そうでしょうとも」「まったくです」「たしかに言えますね」「ホントにね……」「コワイですね……」「イヤですね……」

《驚 く》「まさか」「面白いですね」「おやおや」「へー、ビックリ」「素晴らしい」「たいしたもんですね」「すごいなあ」「そこまでとは」「そりゃ傑作だ」

《喜 ぶ》「それはよかった」「へえ、やりましたね」「ラッキーでしたね」「がんばった甲斐がありましたね」「うらやましい限りです」「いい話ですね」

《同 情》「あらまあ……」「たいへんでしたね」「お気持ち、お察しします」「つらいですね」「さぞガッカリなさったでしょうね」「運がなかったですね」

《その他》「とんでもない」「めっそうもありません」「そうでしょうか」「さあ、どうなんでしょうね」「いやいや、とてもとても」「なんかヘンですね」

PART・8

## 冷静に伝える

反論をしっかりと、かつ穏便に伝えるのは、
大人にとっての大きな課題です。
相手をいたずらに刺激することなく、
こちらの意見や言い分を主張する――。
そんな高度な反論で衝突を回避しましょう。

# 仕事関係の相手に反論する

## 「念のための確認なんですけど」

「そうじゃないだろ。しっかりしてくれよ、まったく」

【解説】取引の内容や条件が打ち合わせと違っていたり、上司が勘違いをもとに指示をしてきたりしたときに。相手の間違いをメールで指摘するときは、「ご確認いただけますでしょうか」が便利。

【発展】相手が間違いに気づいたら「いえ、私のほうも記憶があいまいで」と下手に出ておく。「ほら、やっぱり」という顔をするのは禁物。

## 「私はいいかと思うんですけど、上がなんて言うか……」

「その話は上がどうこう以前に、自分が反対です」

【解説】土壇場になってのプランの変更など、取引先が無茶な提案をしてきたときに。「上」を持ち出してきて難色を示すことで、再考を促すことができる。イザとなったら、「上」のせいにして却下しよう。

【注意】ちょっと姑息な手法なので、乱用は禁物。こういう言い方ばかりしていると、いつまで経っても半人前にしか見られない。

## 「コンプライアンス的にどうでしょうね」

「おいおい、そんな企画、本気でやるつもりかよ」

【解説】感覚の古い上司や取引先が、今の時代には合わない企画を推しているときに。たんに面白くない企画に反対したいときにも使える。いずれの場合も「面白いとは思うんですが」という前置きは必須。

【類語】「もしかしたら炎上のリスクがあるかもしれませんね」

ポイント3

★疑問や指摘は遠回しに伝えるのが基本
★自分以外の「大きな何か」のせいにする
★まずはいったん相手の意見を受け止める

## 「キミの言うことにも一理あるけど」

「グダグダ言ってないで、黙ってさっさとやって」

【解説】企画の内容や仕事の進め方について、部下が的外れな疑問や提案をぶつけてきたときに。相手を尊重したフリをした上で、穏やかに却下しよう。本当に一理あるときは、しっかり聞き入れたい。

【応用】部下が非現実的な改善案を出してきたときは、「そこに気がつくとはさすがだね」と持ち上げつつ、結果的にはスルーする。

## 「部長のおっしゃることは ごもっともです。とはいえ……」

「この時代遅れのわからず屋！
だからウチはダメなんだ！」

【解説】会議や対面で、自信があるプランを上司に提案したら、ピンと来ないようで的外れな反対理由を並べられた。ここで簡単に引き下がってしまうようでは、たぶん出世はできない。

【類語】「お言葉を返すわけではありませんが」お言葉を返すときに。

# 友人や恋人や家族に反論する

## 「まさかそんな話、信じてないよね」

「誰だよ、そんなとんでもない話を広めたのは」

【解説】身に覚えのない陰口など、友人や恋人が「こんなこと言ってた（してた）って聞いたんだけど」と責めてきたときに。第三者が無責任に伝える「○○がこう言ってた」は、誤解とトラブルの元である。

【応用】じつは身に覚えがある場合も、こう返すことで相手をひるませて、とりあえずの窮地を脱することができる。

## 「俺とオマエの仲だからあえて言わせてもらうけど」

「そんなこと言い出すなんて、どうしちゃったんだよ」

【解説】友人がマルチ商法やあやしい宗教に引っかかって、迷惑な勧誘を熱心にしてきたときに。すぐに目が覚める可能性は低いが、強く反論することで「もう関わってくるな」という姿勢は伝えられる。

【発展】反論するのも面倒な場合は、「申し訳ないけど、興味ないから」とバッサリ話を打ち切ろう。情けを出して長々と聞くのは危険。

## 「ちょ、ちょっと待って」

「こりゃマズイな。どうにか時間を稼がなきゃ」

【解説】恋人や家族に、浮気や借金などの隠しておきたい事実がバレて、「どういうことなの？」と問いただされたときに。これ自体は「反論」ではないが、まずは言い訳を聞いてもらわないと始まらない。

【類語】「ちゃんと説明するから、とりあえず落ち着いて」これも時間稼ぎの言葉。まずは自分が落ち着こう。

ポイント3
★強気に出ることで潔白を印象づけよう
★どんなに分が悪い状況でも反論は大切
★デリケートな話ほど穏やかに反論する

## 「そこもいいんだけど、ちょっとぼくも考えてみるね」

「できれば、そこは避けたいな。別の案はないの？」

【解説】飲み会の場所や旅行先について、友人が「ここはどう？」と提案してくれたけど、いまひとつ気乗りがしないときに。言ったまま考えなくても、たぶん相手は真意を察して代案を出してくれる。

【注意】「そこはイヤだな」とストレートに否定するのは、大人としてウカツ。「お任せしちゃってごめんね」など、労をねぎらう言葉も必須。

## 「あれ？ そういう話だっけ？？？」

「いつのまにか話を変えないでくれよ、まったく」

【解説】家賃の分担比率や親に大事な話をどう持ちかけるかといったデリケートな問題について、メールで相手が以前に決めた内容とは違う前提で話をしてきたときに。？マークの多さで戸惑いを表現している。

【応用】友人が待ち合わせの場所や時間を勘違いしていたなど、ちょっとした間違いに反論する場面でも使える。

## 「なるほど、そちらの事情（考え）はよくわかりました」

「勝手な言い訳ばっかり並べやがって」

【解説】友人同士や身内の間で、金銭問題などで話がこじれて意見をすり合わせなければならなくなったときに。内心は腹が立っていても、落ち着いた口調を保つのが話をまとめる必須条件である。

【発展】対面にせよメールにせよ、まずはこう言ったあとで「こちらとしては」と、自分の側の事情や考えを落ち着いた口調で述べたい。

# さまざまな場面で反論する

## 「お話はよくわかりましたが、いささか誤解があるようです」

「まいったなあ。思い込みで腹を立てられてもなあ」

【解説】マンションの騒音やペットのフン害などでご近所から抗議を受けたけど、まったくの濡れ衣というときに。強く反論したいのはやまやまだが、こっちまでケンカ腰になってしまったら余計に話がこじれる。

【類語】「どこかで行き違いがあるようです」ビジネスの場面で、身に覚えがないことで相手が攻撃的なメールを送ってきたときに。

## 「たとえば、こういう考え方はどうでしょう」

「ここまでていねいに説明してあげないとわからないかな」

【解説】PTAや町内の集まりなどで、不合理で不適切な案に決まってしまいそうなときに。その案のダメさを批判するのではなく、別の案の長所やメリットを具体的に説明することで、参加者の目を覚まさせる。

【注意】ダメな案を主張している中心人物の顔をつぶさないように、「その案もすごくいいですね」とホメた上で反論をくり出したい。

## 「このところボーッと生きてるので、いまいち自信がないのですが」

「ボーッとしてるのは、こっちじゃなくてオマエだけどな」

【解説】目上の人の記憶違いを指摘するときに。ストレートに「それは○○じゃなくて△△ですよ」と指摘すると、相手は感謝するどころか確実に腹を立てる。人間というのは、じつに面倒な生き物である。

【類語】「最近、記憶力があやしくなってきたので～」「連日の暑さで脳みそが溶けているので～」

ポイント3

★怒っている相手ほど落ち着いて対応する
★相手の顔をつぶさないための配慮も大切
★話が通じない相手はさっさと切り捨てる

## 「私どもの落ち度は心から お詫びいたします。ただ……」

「客だからといって、どんなわがままも通ると思うなよ」

【解説】店に対して、客が理不尽なクレームをつけてきたときに。責められる筋合いはないことまで黙って受け止めていると、相手はどんどん調子に乗る。低姿勢を保ちつつの毅然とした反論は極めて大切。

【発展】事態が収まったあとで大切なのは、怒鳴られるなりなんなりしたスタッフのフォロー。そこをないがしろにすると信用をなくす。

## 「貴重なご意見ありがとうございます」

「どうやらこいつとは話してもムダだな」

【解説】SNSの投稿に対して、まったく考え方の違う知らない人が、キツイ言葉で批判をぶつけてきた。反論したところで、間違いなくなんの実りもない。ここは露骨に適当に流すのが、ベストの反論である。

【注意】相手だけでなく、自分自身も何を言われようと意見を変える気はないはず。SNSでいくら議論しても、怒りや恨みが残るだけである。

+αのワザ

# 赤っ恥注意！ 間違いやすい慣用句

会話やメールに織り交ぜられた慣用句は、知的で大人な雰囲気を醸し出してくれる。
しかし、間違った使い方をしたら逆効果。リスキーな慣用句をチェックしておこう。

## 使い方の間違いや言い間違いをする危険性が高い慣用句7例

**「そんな大事な役目、私には役不足です」**

そんな役目では物足りないという意味になってしまう。それを言うなら「力不足」。

**「彼とは付き合いが浅くて、まだ気が置けない関係だ」**

気持ちが通じ合えていないという意味で使うのは間違い。「遠慮のない関係」のこと。

**「おっとり刀でやって来るなんてケシカラン！」**

けっして、「のんびりゆっくり来た」のではない。「急いで、あわてて」という意味。

**「彼は押し出しがいいから、強引に話をまとめてしまう」**

人前に出たときの容貌や態度がいいという意味で、「押しが強い」とはまったく別。

**「ホラー映画好きだけど、あまりぞっとしない一本だった」**

怖くなかったときに使うのは間違い。本来は「面白くない、感心しない」という意味。

**「いくら時間がないからって、なおざりな企画書を出すな」**

それを言うなら「おざなり」。意味は近いが、放置して何もしないのが「なおざり」。

**「山海の珍味に舌つづみを打つ」**

おいしくて「鼓」のように舌を鳴らす音のことなので「舌鼓」（づつみ）が正解。

## もともとの意味よりも違う意味のほうが定着している慣用句5例

もはや間違いとは言い切れないし、本来の意味で使うと誤解を招くことも。

《 確信犯 》

［ 本来 ］政治的・宗教的な信念にもとづいた犯罪やそれを行う人
➡［ 現在 ］悪いと知っていながらしてしまうこと

《 煮詰まる 》

［ 本来 ］議論や考えが出つくして結論を出す段階になる
➡［ 現在 ］議論や考えがこれ以上は発展せずに行き詰まる

《 この親にしてこの子あり 》

［ 本来 ］親が立派だから子どもも優秀（いい意味）
➡［ 現在 ］親がだらしないから子どももこの程度（悪い意味）

《 やぶさかではない 》

［ 本来 ］喜んで積極的にやる ➡［ 現在 ］しょうがなく渋々やる

《 憮然（ぶぜん） 》

［ 本来 ］失望してぼんやりしている様子 ➡［ 現在 ］腹を立てている様子

PART・9

# OKにつながる

十分に魅力的な誘いだったとしても、
言い方ひとつで返事は変わってしまいます。
押し付けがましい印象を与えずに、
相手がすんなり「OK」したくなる――。
そんなナイスな誘いをくり出しましょう。

# あらたまって誘う

## 「ご参加賜りますよう、よろしくお願い申し上げます」

「来ても来なくてもいいけど、ちゃんと声はかけたからね」

【解説】社外の人に対して、ちょっとあらたまった式典やパーティの招待状や招待メールを送るときの締めに。「お忙しいとは存じますが」「ご多用の折恐縮ではございますが」などの前置きを付ける。

【類語】「ご参集のほど、よろしくお願いいたします」「ご臨席いただきますよう、お願い申し上げます」

## 「万障お繰り合わせの上、ぜひご出席ください」

「必死で繰り合わせなくてもいいけど、なるべく来てね」

【解説】仕事がらみのパーティや自治会の総会の開催を知らせる手紙やメールの締めに。「万障」は、あらゆる障害や困難という意味。大げさに言うことで、強く来てほしい気持ちを表現している。

【注意】サークル活動やバーベキュー大会など、自由参加が前提の案内を出すときに使うのは不適切。押し付けがましい響きになる。

## 「お誘い合わせの上、お越しいただけたら幸いです」

「ひとりで来づらかったら、誰かといっしょに来てもいいよ」

【解説】パーティやイベントの案内状や案内メールを送るときの締めに。上のホンネに加えて、「にぎやかなほうが嬉しいから、できれば何人かで来てほしい」という意味が込められていることも多い。

【注意】「お誘い合わせの上」と書かれていない場合、誰かを誘っていっしょに行きたいときは、いちおう先方に確認するのがマナー。

ポイント3

★ていねいに言うことで相手への敬意を込める
★誘い方でこっちの熱意や意図を伝えよう
★接待の誘いに「接待」という言葉は禁物

## 「御目文字（おめもじ）できれば光栄に存じます」

「一度、直接会って打ち合わせしませんか」

【解説】メールや電話のやり取りだけで会ったことがない仕事相手に対面での打ち合わせを提案するときに。「御目文字」は「会う」をていねいに言う女性語。基本的には書き言葉で、口に出して使うケースは少ない。

【発展】「〜だわ」「〜かしら」と同じで、男性が使うと相手が違和感を覚える可能性も。「お目通り願えれば」のほうが適切。

## 「日頃の感謝を込めまして、お食事の席をご用意したく存じます」

「接待してあげるから、引き続きよろしく」

【解説】取引先の偉い人に「接待したい」という意向をメールで伝えるときに。「○○（上司）が、ぜひ一席もうけさせていただきたいと申しております」という言い方も。事前にチラッと打診してから出すのが基本。

【注意】「接待」の場合は、誘うほうも誘われるほうも、けっして「接待」という言葉を使わないのが大人のお約束である。

誘い

# 気軽な感じで誘う

## 「今度ぜひお酒でも。いや、けっして社交辞令ではなく」

「私は本当に飲みたいですけど、あなたはどうですか？」

【解説】決まり文句としての「今度飲みましょう」ではなく、本当に飲みたいときに。ただし、まだ具体的な相談をする段階ではなく、自分の姿勢を伝えつつ、反応によって相手の意向を探る意味合いが強い。

【発展】仕事相手に使うケースが多いが、異性へのアプローチとしても使える。言われた側も乗り気の場合は、前のめりで話をふくらませよう。

## 「もしお時間ありましたら、ご連絡ください」

「無理にとは言わないけど、会えたら嬉しいです」

【解説】ふだんは遠くにいる知り合いが、出張などで近くに来ることを聞いたときに。あるいは、SNSの書き込みなどで近所にいるとわかったときに。社交辞令ではなく、本当に会いたいときにだけ使う。

【注意】相手にも時間の都合やその日の気分があるので、連絡がなくても恨んだりすねたりしてはいけない。深追いも禁物。

## 「お近くにお越しの際は、お気軽にお立ち寄りください」

「みんなにこう言ってるけど、もちろん人によるからね」

【解説】オフィスの移転や自宅の引っ越しを知らせる手紙やメールの締めに。かたい言い方だが、重みはない。こう言われても、実際に訪ねる場合は、気軽にではなく、事前に連絡するなどそれなりの作法や気合いが必要。

【類語】「またいつでも気軽に遊びに来てください」と言われても、いつでも行っていいわけではないし、気軽に行っていいわけでもない。

★社交辞令かそうでないかを明確に示そう
★誘われた側は隠れている真意を察したい
★相手が誘いに乗らなくても恨みっこなし

## 「今日の夜、少しお時間ありますか」

「相談（報告）したいことがあるので、一杯どうですか」

【解説】上司や先輩に、あらたまって話したいことがあるときに。「ちょっとご相談が……」など、誘った意図を同時に示す場合もある。都合が合わなくて、会議室などに場所を移して話す展開になることも。

【注意】オフィスでは話しづらいからこう言ってきているので、誘われた側は、その場で「いいけど、何？」と返してはいけない。

## 「続きはノドを潤しながらでどうですか」

「仕事の話はそろそろ切り上げて、飲みに行こうよ」

【解説】仕事相手との打ち合わせが一段落して、時間的に飲みに誘っても不自然ではないときに。社内のミーティングが一段落したときにも使える。場所を移した先で「続き」が話されることは少ない。

【反応】「じつは私も同じことを考えていました。以心伝心とはこのことですね」

## 「○○のチケットを２枚もらったんだけど、興味ある？」

「ぜひいっしょに行きたいから『興味ある』って言って」

【解説】意中の相手をデートに誘いたいときに。じつはわざわざ買ったチケットであるケースも多い。たんに不要なチケットをあげたい場合は、「これ余っちゃったんだけど」といった言い方で誤解を避ける。

【注意】誘いを断られた場合、その○○に興味がなかったというよりも、結局は自分に興味を持たれてないんだと認識したほうがいい。

# 意を決して誘う

## 「お越しいただけたら、こんな嬉しいことはありません」

「難しいかもしれないけど、熱意はわかってください」

【解説】趣味の集まりなどに無理を承知で、憧れている人や大物を誘うときに。面識がない場合でも使える。「ご迷惑なお願いだということは重々承知しておりますが」など、念入りに下手に出るのがマナー。

【反応】行けるにせよ行けないにせよ、「お誘いいただいて光栄です」とていねいに対応すると、相手は感激してくれて、たぶんいいウワサも広まる。

## 「もし奇跡的にご都合が合えば」

「かすかな可能性に賭けて、ダメモトで誘っています」

【解説】あきらかに忙しそうだけど、ぜひ来てほしいという気持ちで目上の人を誘うときに。たとえ来てくれないとしても、相手は持ち上げられて悪い気はしないし、きっと「かわいいヤツ」と思ってくれる。

【注意】リタイアした人などあきらかにヒマそうな相手に使うと、「本当は来てほしくないけどいちおう誘っている」という意味になる。

## 「たまにはいっしょにどう？」

「今のまま冷えた関係を続けるのは、お互いにつらいよね」

【解説】久しぶりに配偶者を映画や買い物に誘うときに。さりげない口調に、関係改善への強い思いを込めつつ。相手がすんなり応じてくれない可能性も高いが、自分が行動を起こさないと何も変わらない。

【反応】せっかく歩み寄ってくれているのに、意図を承知で冷たくあしらって小さなプライドを満足させるのは、けっこう非道な行為。

**ポイント3**

- ★心を込めて誘うことで意外に道は開ける
- ★ダメモトな誘いもけっしてムダではない
- ★大げさな表現でクスッとさせたら勝ち

## 「今、手のひらにビッシリ汗をかきながら打っています」

「実際には汗なんかかいていないけど、緊張しているのはホントです」

【解説】意中の人にデートの誘いのLINEやメールを送るときに。スマホでもパソコンでも使える。ただし、この手の小技に理解がありそうなタイプじゃないと、ただ気持ち悪いと思われるだけである。

【類語】「これも人助けだと思って、ぜひ一度お食事など」上と合わせてふたつのフレーズを同時にくり出せば、さらに効果的。

## 「たいへん図々しい提案ではありますが」

「そろそろそういう関係になってもいいと思うんだけど」

【解説】何度かデートを重ねた相手をホテルに誘うときに。あえて敬語で、さらに「図々しい」という表現を使うことで、誠実さのようなものや意を決した気配が漂う。もちろん、女性が言っても趣（おもむき）がある。

【反応】OKの場合は「もったいないお申し出、おそれいります」ぐらいのしゃれた返しを。NOの場合は「ご意向には沿いかねます」と品よくサラリと。

＋αのワザ

# 大人が光る！ 知的に見える慣用句

慣用句を華麗に使いこなすことで、コミュニケーションに幅と奥行きと貫録が生まれる。
大人をキラリと光らせるフレーズをたっぷりインストールして、スキあらばくり出そう。

## 使った瞬間にちょっとドヤ顔ができる慣用句＆例文10例

**【衆目（しゅうもく）が一致する】** 誰もがそう思う、意見がまとまる。
➡「リーダーには○○さんが適任だというのは、衆目が一致するところです」

**【ご放念（ほうねん）ください】** 忘れてください、気にしないでください。
➡「宛先を間違えてメールを送ってしまいました。どうぞご放念ください」

**【正鵠（せいこく）を射る】** 物事の要点や急所を正確についている。
➡「彼はイヤなヤツだが、言うことは正鵠を射ている」

**【徒（あだ）や疎（おろそ）かにはいたしません】** 軽々しく、粗末には扱いません。
➡「ほかならぬ○○社さんのご提案ですから、徒や疎かには致しません」

**【水泡（すいほう）に帰す】** ムダになる、消滅する。
➡「国際情勢の変化で、これまでの努力が水泡に帰してしまった」

**【鼻毛を読まれる】** 男性がホレた女性のいいように操られる。
➡「付き合い悪いなあ。まったく、彼女にすっかり鼻毛を読まれちゃって」

**【二の句が継げない】** 呆れて（驚いて）次の言葉が出てこない。
➡「課長が急にあんなこと言い出すから、二の句が継げなかったよ」

**【顰（ひそみ）に倣（なら）う】** 善し悪しを考えず、むやみに人の真似をする。
➡「なんでもかんでも、先輩の顰に倣えばいいわけじゃないよ」

**【慚愧（ざんき）に堪えない】** 恥ずかしく思っている、後悔している。
➡「A社との交渉をまとめることができず、まことに慚愧に堪えません」

**【掉尾（ちょうび）を飾る】** 最後を立派に締めくくる。「とうび」とも読む。
➡「パーティの掉尾を飾るにふさわしい感動的なスピーチでした」

## 相手が唸る！ 会話やメールでさりげなく使いたい大人言葉

●卒爾ながら（いきなりですけど） ●よんどころない（はっきりとは言えないけど重要な） ●失念する（うっかり忘れる） ●ひとかたならぬ（並々ならない） ●すこぶる（ひじょうに） ●ご海容（かいよう）ください（海のように広い心でお許しください） ●ご笑納（しょうのう）ください（笑って受け取ってください） ●ご恵投（けいとう）いただき（いただいちゃって） ●片腹痛い（ちゃんちゃらおかしい） ●鬼籍（きせき）に入る（亡くなる） ●鬼の霍乱（かくらん）（珍しく病気になる） ●閑話休題（かんわきゅうだい）（それはさておき） ●石部金吉（いしべきんきち）（マジメで融通の利かない人） ●朴念仁（ぼくねんじん）（無愛想で頭のかたい人） ●以て瞑（もっ・めい）すべし（それで満足するべき） ●言い得て妙（みょう）（うまいことを言う）

PART・10

# 心に刻まれる

通りいっぺんの言葉を並べただけだと、
気持ちの強さや深さは伝わりません。
たっぷりの感謝を受け止めてもらった上で、
相手の胸の奥底に自分の思いを残す——。
そんな気合い十分の感謝をぶつけましょう。

# 仕事関係の相手に感謝する

## 「うわ、ここまでやってもらえるなんて」

「まあ、このぐらいは気を利かせて当然だけどね」

【解説】後輩や部下に仕事を頼んだら、伝えた範囲以上のことをやってくれた場面で。感謝とともに、特別に高く評価していることを表現できる。うしろに「さすが○○君だね」と加えればさらに効果的。

【応用】「頼んでないのに余計なことしやがって」という気持ちのときにも使える。ただし、言われた相手は素直に喜んでしまう可能性が高い。

## 「さっそくのご対応、おそれいります」

「面倒かけやがって。最初からちゃんとやれよ」

【解説】取引先からのメールに、あるはずの添付ファイルがなかった。再送してもらったメールへの返信で。向こうは恐縮しているので、あえて感謝を示すことで、「できた人」という印象を与えられる。

【注意】半日以上経ってから対応してくれた場合は、「さっそく」をつけると皮肉に受け取られる。たんに「ご対応、おそれいります」で。

## 「目からウロコがたくさん落ちました」

「なんの話だったかはよく覚えてないけど、いちおう」

【解説】上司や先輩と飲みに行った翌日に。しつこい説教や暑苦しい「俺語り」をされたときほど、こう言っておきたい。たぶん相手も自分が何を言ったかは覚えていないだろうが、満足感は味わってもらえる。

【発展】おごってもらった場合はもちろん、ちょっぴり余分に出してくれた程度でも、「昨日はごちそうさまでした」のお礼は必須。

ポイント3

★相手が期待している以上の感謝を伝える
★非難の代わりに感謝を告げて貸しを作る
★感謝するのはタダなので大盤振る舞いを

## 「○○さんじゃなかったら、できなかった仕事ですね」

「安い仕事だったから、せめてリップサービスぐらいは」

【解説】難しい仕事を成し遂げてくれたときには、こう言ってプライドをくすぐるのが大人の礼儀。極端に難しい仕事ではないけど、それなりにベテランの味を見せてくれた場面でも、おおいに活用したい。

【類語】「今回はホントに、○○さんに助けていただきました」

## 「貴重な経験をさせていただきました」

「今回はひどい目に遭ったけど、まあ、また今後ともよろしく」

【解説】進めていた仕事が、相手の都合で途中でなくなったときに。相手が「申し訳ない」と謝っているときに、露骨に不満そうな反応をしてしまうのは大人として未熟。感謝することで恩を売っている。

【注意】「いえいえ、気になさらないでください」といった前置きを付けつつ、明るい口調で言いたい。ひとつ間違えるとイヤミに聞こえる。

# 友人や恋人や家族に感謝する

## 「ありがとう。助かったよ」

「テレくさいけど、がんばって言ってみました」

【解説】親しい相手、とくに家族に対しては、お礼の言葉を省略しがち。「いちいち言わなくてもいい」という共通認識はあるが、あえて頻繁にお礼を口にしたりされたりすると、関係は確実によくなる。

【反応】言われた側も「水くさいこと言うなよ」と言ってしまいがちだが、相手の勇気を踏みにじることになるので、素直に喜びたい。

## 「えーっ、そんなつもりじゃなかったのに」

「そう来るだろうと予想はしていたけど」

【解説】友人や知り合いから頼まれたことをしてあげたら、「このあいだのお礼に」と言いつつ、品物をくれたり食事をおごってくれたりしたときに。「かえって申し訳ない」という言葉もセットで付けておきたい。

【注意】その手の“お返し”は、なくてもともとと思いたい。期待している気配を少しでも出してしまったら、せっかくの親切が台なしである。

## 「子どもの頃から、ずっと欲しかったんだよね」

「ま、子どもの頃には、これは存在してなかったけど」

【解説】恋人や親しい相手からプレゼントをもらったときに。パソコン系の機器やゲーム機など、子どもの頃には存在していなかった品物をもらったときにこそ、ツッコミを期待しつつ積極的に使いたい。

【類語】「どうして、これを欲しいと思ってたことがわかったの！」

ポイント3

★親しき仲にもキメ細かい感謝の言葉あり
★多少のウソを混ぜ込むのも感謝の示し方
★感謝の言葉を伝えたいときには親はなし

## 「ウチの親も喜んでたよ」

「手ばなしで……ではないけど、
ま、それはいいとして」

【解説】配偶者が、いっしょに帰省したり両親と旅行に行ったりしてくれたときには、きちんとお礼の言葉を伝えたい。相手にとっては、かなり気疲れする状況である。「行くのが当然」という態度はNG。

【発展】我が子かわいさで、親が「嫁」や「婿」への不満を口にすることもままあるが、それをわざわざ配偶者に伝える必要はない。

## 「君がいてくれるおかげだよ」

「こっちはこっちで、多少は役に立ってるよね……」

【解説】妻や夫やパートナーに対して。「仕事に打ち込めるのも」「毎日、穏やかに暮らせるのも」など、頭にはいろんな言葉が付く。あらためて口にするのは気恥ずかしいが、たまには勇気を出して言っておきたい。

【反応】こう言われたら「こちらこそ」と応えるのがお約束。お互いに感謝を示し合い、お互いが謙虚になることで、夫婦やパートナーとの絆が強まる。

## 「ふたり（母さん、父さん）の子どもに生まれて、自分は幸せ者だよ」

「一世一代の親孝行をしてるんだから、
ちゃんと感動してね」

【解説】親子の間でも、ここぞという場面で感謝の気持ちを口にしておくことは大切。「言わなくてもわかってくれているはず」は一種の甘えだし、親が生きているうちに伝えておかないと後悔する。

【発展】世の中、必ずしも「いい親」ばかりではない。困った親にあえて感謝の言葉を伝えることが、自分自身の救いにもなるかも。

# さまざまな場面で感謝する

## 「なんとお礼を申し上げていいかわかりません」

「半端に言葉にしないほうが大きな感謝が伝わるかな」

【解説】最大級の感謝を示したいときに。あるいは、最大級の感謝を示しておかないとヘソを曲げそうな相手に。こう言いながらも、別途「ありがとうございました」といった感謝の言葉は必須である。

【類語】「どんなに感謝しても感謝しきれません」「ありがた過ぎて言葉になりません」「感謝の念に堪えません」

## 「家族で激しい争奪戦をくり広げました」

「それはちょっとオーバーだけどおいしかったです」

【解説】お中元やお歳暮やお土産など、食べ物やお酒をもらったときのお礼メールやお礼状で。「一瞬で飲み干してしまいそうです」「家族全員、箸が止まらずに数日で空になりました」など品物に合わせて。

【応用】食べ物以外の場合も「○○のある生活に憧れていたんです」「毎日がガラッと変わりました」など、ちょっとオーバーな表現で。

## 「ご散財をおかけいたしました」

「金持ちだから痛くもかゆくもないだろうけど」

【解説】目上の人に高い店でおごってもらったときに。店を出たときに言ってもいいし、翌日以降にあらためてお礼を言う場面で「先日は〜」を付けて言ってもいい。おごった側の気持ちよさが増幅する。

【注意】たぶん無理しておごってくれた場合も、このセリフで感謝したい。心配そうに「だ、大丈夫でしたか……？」と尋ねるのは失礼。

ポイント3

★大きな感謝は抽象的な表現で伝えよう
★かしこまった言い回しも覚えておきたい
★感謝することで自分も気持ちよくなれる

## 「20年後ぐらいにも思い出しそうなくらい楽しかったです」

「そんな先のことはわかりませんけど」

【解説】そこそこ盛り上がった合コンの終わり際に。適当さとウソくささが「面白くていい人そう」という印象につながる。あるいは、飲み会やスポーツ観戦や観劇やイベントで、誘ってくれた人に。

【類語】「21世紀になってから、こんなに笑ったのは初めてです」

## 「こちらのお宿にして大正解でした」

「帰り際にこう言える自分って、なんて大人なんだろう」

【解説】家族旅行や友人同士の旅行で、そこそこ高級な温泉旅館に泊まった。会計をするときや出発するタイミングで、宿の経営者の人に。半分はお世辞だったとしても、言うことで自分も気持ちよくなれる。

【応用】「おいしかったです。おかげさまで思い出に残る記念日になりました」そこそこ高級なレストランで結婚記念日に食事をしたときに。

＋αのワザ

# 冠婚葬祭で使いこなしたいフレーズ

冠婚葬祭は、主役はもちろん参加者にとっても、知性やセンスを示すことができる「大人の晴れ舞台」。結婚関連、葬儀関連で「使いこなしたいフレーズ」を会得しよう。

## 結婚関連ならコレで！

**「こんな幸せそうな顔をしてる花嫁、花婿は、世界じゅう探してもいないと思うよ」**

➡ 披露宴で新郎新婦に。根拠はないし証明する術もないが、そこはどうでもいい。

**「全員が心から祝福していることが伝わってくる、素晴らしい披露宴だったね」**

➡ 後日、招待してくれた新郎や新婦に対して。こういう言葉もご祝儀のうちである。

**「ご両親とお目にかかって、彼が素晴らしい人物になった理由がよくわかりました」**

➡ 披露宴では、親族への気づかいも忘れずに。本人と両親の両方を同時にホメている。

**「うわー、素敵な○○○○○！家の中でいちばん目につくところに飾っておきます」**

➡ 結婚祝いの品をもらったときに。実際にそうするかどうかは別の話。

「残り物には福があるって言うからね」➡ 遅めの結婚が決まった人に。

「今度こそ幸せになれるといいね」➡ 再婚する人に。

「切れる」「離れる」「重ね重ね」など ➡ いわゆる「忌み言葉」とされるもの。

## 葬儀関連ならコレで！

**「お目にかかるたびに、こちらを幸せな気持ちにしてくださる方でした」**

➡ 遺族に対して故人を偲ぶ場面で。故人をよく知らない場合は抽象的な表現を使う。

**「このたびはまことにご愁傷さまでした。○○さんも、お疲れが出ませんように」**

➡ 悲しみに包まれている遺族は、ちょっとしたねぎらいの言葉が心にしみる。

**「立派なお葬式で、故人も今頃空の上で喜んでらっしゃいますね」**

➡ こじんまりとした葬儀の場合は「心のこもったお葬式で」と言えばOK。

「大往生でしたね」➡ 遺族以外が言うのは大きなお世話。「天寿を全うなさいましたね」も同様。

「ご病気は何だったんですか？」➡ 遺族に死因や闘病の経緯、臨終の様子などを尋ねるのは、極めて無神経な行為。

## ひと味違う自分、ひと味違う毎日の始まりです

この本で伝えたかったのは、具体的な実用フレーズだけではありません。読んだ方が、言葉をていねいに選ぶ必要性や言葉を間違えることの怖さ、また自分にとって、そして人生にとっての「言葉の大切さ」を感じてもらえたとしたら、著者としてとても嬉しいです。

言いたいことが十分に伝わらなかったり違う意味で伝わってしまったりする原因は、言葉が足りないか、相手の気持ちへの配慮が足りないか、適切な言い方を選ぶボキャブラリーが足りないかのどれかか、あるいは全部です。

この本を読んだあなたは、3つ目はすでにクリアしました。じつは、ほかのふたつが不足するのは、自分の中に具体的な方法や道筋がないから。3つ目をクリアしたことで、ほかのふたつも自ずとくっついてきます。もう何も怖くありません。あとは慣れと度胸です。

読む前とはひと味違う「言い方・伝え方」を駆使して、ひと味違う自分になり、ひと味違う毎日をお過ごしください。言葉は、裏切りません。

2021年3月吉日
石原壮一郎

## 石原壮一郎

（いしはら・そういちろう）

コラムニスト。1963年三重県生まれ。
月刊誌の編集者を経て、1993年に『大人養成講座』でデビュー。
以来、数多くの著作や各種メディアでの発信を通して、
大人としてのコミュニケーションのあり方や、
その重要性と素晴らしさと
実践的な知恵を日本に根付かせている。
おもな著書に『大人力検定』『恥をかかない コミュマスター養成ドリル』
『大人の超ネットマナー講座』『昭和だョ！全員集合』
『大人の言葉の選び方』『本当に必要とされる最強マナー』など。
故郷の名物を応援する
「伊勢うどん大使」「松阪市ブランド大使」も務める。

## STAFF

文／石原壮一郎
企画・プロデュース・編集／石黒謙吾
イラスト／雨本洋輔
デザイン／穴田淳子（a mole design Room）
写真／おおしたなつか
校正／こはん商会
制作／（有）ブルー・オレンジ・スタジアム

【超実用】好感度UPの言い方・伝え方

2021年4月3日　第1刷発行

著　者　石原壮一郎
発行人　松井謙介
編集人　長崎　有
編集担当　早川聡子

発行所　株式会社 ワン・パブリッシング
〒110-0005 東京都台東区上野3-24-6
印刷所　中央精版印刷株式会社

【この本に関する各種お問い合わせ先】
本の内容については、下記サイトのお問い合わせフォームよりお願いします。
https://one-publishing.co.jp/contact/
不良品（落丁、乱丁）については　Tel 0570-092555
業務センター　〒354-0045 埼玉県入間郡三芳町上富279-1
在庫・注文については書店専用受注センター　Tel 0570-000346



ワン・パブリッシングの書籍・雑誌についての新刊情報・詳細情報は、下記をご覧ください。
https://one-publishing.co.jp/